CUANDO SE DERRAMA EL MAR.
©Elena Bethencourt, 2023
©Maquetación, ilustraciones y diseño gráfico: Josu Monterroso, Canva y CreativeFabrica, mediante Ger's Books.
©Fotografía de cubierta y de la autora: Elena Bethencourt.

I.S.B.N: 978-84-09-52882-0

Depósito legal: TF 783-2023

CUANDO SE DERRAMA EL MAR

Elena Bethencourt

Ger's Books

A Dolores, la mejor persona que he conocido.

A mis hijos, que son los que me enseñan a amar.

A Jean Paul, que cocina mientras escribo.

A mi familia y amigos.

Presentación

Mi infancia son recuerdos de un chaplón donde me sentaba a esperar a que mi padre terminase de leer la novela del oeste para ir a la playa.

Mientras él andaba a tiros con el sheriff y los forajidos, mi estómago aprovechaba para hacer las dos horas de digestión reglamentarias sin las cuales los niños de los setenta no podíamos meternos en el mar.

«¿Cuántas páginas te faltan?», le preguntábamos mi hermana o yo cada cinco minutos de la eterna cuenta atrás. Yo me impacientaba temerosa de que alguien se llevara la costa antes de que llegásemos o de que recogieran la arena, los barcos y la roca con la escalera oxidada de la que solía saltar.

Y entonces ocurría: me ponía azul, cerraba los ojos y el agua salada empezaba a colarse por las ventanas abiertas, por debajo de las puertas y las rendijas del encalado. Las olas bajaban de la azotea por la escalera formando cascadas. La pila de piedra (en la que a veces me bañaba mi abuela con jabón Lagarto) navegaba también junto a las latas de aceite de cinco litros donde plantaba flores, hierbabuena o perejil. Y cuando queríamos darnos cuenta, los claveles flotaban ya en la cocina con el romero y el tomillo como si de un jardín acuático se tratase y el agua nos llegaba a la cintura e inundaba la sala de estar.

En ese momento, mi padre parecía notar que se le mojaban los pies, cerraba la novela —salvándole así la vida a algún pobre indio— y pronunciaba, por fin, las palabras mágicas: «¡Niñas, nos vamos!».

Y la felicidad era eso: coger burgados en los charcos, lamernos el salitre, lanzarnos por el muelle, caer al agua, subir la escalera a toda prisa, volvernos a lanzar…

Es ese océano —lleno de historias, no solo de agua— que llevo envasado tanto tiempo el que ahora se desborda y da título a este libro: *Cuando se derrama el mar*.

Elena Bethencourt

Adolescencia

Las humedades no paran de crecer. Gota a gota han inundado el suelo y suben por las paredes.

A veces, de repente sales de tu cuarto y chapoteas por los charcos del salón como si fueras feliz. Yo me alegro de que sonrías otra vez. Quiero abrazarte, pero vuelve ese brillo a tus ojos y crece el nivel del agua.

Me ahogo sin remedio en esta casa navegable, esperando que, más pronto que tarde, dejes de llorar por él.

ADRENALINA

Las imágenes se suceden a toda velocidad…En el balcón de la cuarta planta sus cinco amigos beben alcohol. En la tercera cuatro niños saltan sobre el sofá. En la segunda tres turistas comprueban los datos del vuelo. En la primera dos amantes caen rendidos. En el vestíbulo la belleza de la camarera impacta al recepcionista.

En la piscina no hay nadie. El agua está fría, quizás, pero por veinte centímetros ya no importa.

Amor al arte

Rechaza el ofrecimiento mediante un gesto amable, así que no insisto. Le dejo mi libro en el mostrador y me marcho con la bolsa de adjetivos rimbombantes que le traigo y que —según ella— no sirven «pa ná». Y es que, en realidad, doña Eulalia no necesita mi ayuda ni la de nadie. Le basta con que le des tu obra y tiempo suficiente para trabajar.

Conoce bien su oficio. Lleva medio siglo al frente del negocio familiar: un pequeño taller de costura en la calle grande que ha pasado de generación en generación. Pero no es un taller cualquiera, no. Remienda historias de pobre calidad. A veces las rehace enteras; otras, se limita a ponerles un parche o las moderniza con detalles más actuales.

Sus clientes son en su mayoría novelistas sin suerte, como yo, que se acercan con la esperanza de que les arregle lo que ellos no ven forma de enmendar. Le traen la materia  prima, pero no saben cómo urdirla o se les deshace el nudo o les falta algún corchete para enganchar al lector.

Las estanterías están llenas de buenos hilos conductores, títulos y desenlaces increíbles clasificados por colores, temas o intensidad.

Ella descose con mimo las palabras mal puestas y engarza otras más hermosas que tiene guardadas en botecitos de cristal. Refuerza con doble pespunte las tramas flojas, hilvana el tejido con conflictos potentes, recorta los flecos sueltos y remata las piezas con un buen final.

Cuando está segura de que, efectivamente, ha bordado la obra, la entrega en el plazo indicado para recibir —una vez publicada— un dos por ciento del diez por ciento del autor.

Hoy he recogido la mía y, al preguntarle por qué se dedica a este arte que la empobrece, ha respondido sin dudar: «Por lo mismo que usted, por amor».

BAJO LA LLUVIA FINA QUE NO EMPAPA

En el número 25 de la calle del Sol entró una nube cuando el dueño salía maleta en mano. Se extendió hasta cubrir toda la vivienda y una lluvia fina, que refrescaba sin empapar, empezó a caer. El canario, seguro de estar en el aire, agitó las alas. La abuela se creyó a las puertas del cielo y olvidó sus dolores. Los niños jugaron al escondite encantados con la poca visibilidad. Rosa, convencida de que era el vapor de sus lágrimas, dejó de llorar y abrió puertas y ventanas.

El vecino aprovechó para colarse y, en la niebla del pasillo, encontró el valor y los labios de Rosa. Ella supuso que su marido había regresado y, envuelta en la lluvia fina, se dejó amar.

Ahora viven todos en una nube. Todos menos Rosa, que sabe bien que ese hombre no es el suyo, pero reza para que no escampe jamás.

Carretas

Me consolaba a mí misma pensando que estaba a punto de ocurrir. Tampoco pedía demasiado: algo estándar, ni mucho ni poco.

Desde que empezó a gustarme Josema, abandoné las muñecas y no pensaba en otra cosa. Mi abuela, que no sabía para qué las quería, me comentó que en su época mi problema se solucionaba comiendo almendras.

Con mi santa paciencia las arrancaba del árbol, las secaba, las cascaba y me zampaba medio kilo de un tirón. Luego, con dedos esperanzados, recorría la planicie bajo mi camiseta buscando alguna protuberancia, pero seguía siendo la misma tabla de planchar de siempre y tenía que volver al almendro una y otra vez para darme otro atracón.

Carretera de la costa

Eran tantas las ganas de mar que alguien empezó por pintar en su fachada una flecha con el cartel «A la playa». Otro colocó «Carretera del litoral» doscientos metros más allá y así decenas de letreros hasta señalizar por completo aquel pueblo de interior.

Los domingos las mamás llenaban las neveras portátiles con bocatas de tortilla y refrescos, metían la familia al completo en la furgoneta y seguían los carteles. La caravana daba veinte veces la vuelta a la localidad. Los niños pasaban las primeras dos horas preguntando ¿cuándo llegamos?, las abuelas decían que pronto, que ya sentían la brisa marina. En los atascos las mujeres cuchicheaban de ventanilla a ventanilla. De vez en cuando paraban en los chiringuitos recién abiertos a lo largo de la ruta. Los mayores aprovechaban entonces para gozar del sol y los adolescentes para flirtear con las muchachas: «Cuando lleguemos, te voy a besar en la orilla». «Mejor en los labios», respondían ellas desintegrándose como si fueran espuma nada más.

Al anochecer volvían a casa más morenos y cansados, sin haber pisado la playa, pero con la ilusión intacta de que, al domingo siguiente, conocerían por fin el mar.

THE DAILY NEWS

CUANDO SE DERRAMA EL MAR — Elena Bethencourt

№123456789

CASTILLO DE NAIPES

Son las nueve menos cinco de un día cualquiera. La anciana del ático se pone las sandalias. El matrimonio del quinto desayuna en el balcón. La semana pasada se oyó un ruido. La chica del cuarto lee en el sofá. La azafata del tercero hace el equipaje. La pareja del segundo se ama otra vez. Ayer vieron la grieta. El músico del primero acaricia el violín. La modista del bajo cose un pantalón. Los demás duermen. En el sótano siguen las obras.

Así los encuentran a las nueve y diez.

Cena para dos

No sabe dónde está ni cuánto tiempo lleva ahí. Oye tintineo de copas y voces en la distancia. Está muy oscuro, no ve nada y siente miedo. Escucha el sonido del agua. Al principio cree que está en una piscina, pero se choca contra las paredes y el techo. No hay salida.

No es la única. Hay decenas como ella y también se están despertando. Fuera se oye un violín y sus compañeras empiezan a moverse nerviosas. En ese instante suena un beso. Se confirman sus sospechas: no es una mariposa normal y corriente. Se une a la algazara en el estómago del muchacho enamorado y, decidida, despliega sus alas.

Cita en el muelle

A las chicas que componen "Feliciano"

Llevan más de cuarenta años sin verse, pero ni un solo día han dejado de pensar en aquella noche, ni de ansiar este reencuentro que ahora viudos tendrán hoy.

A Lola le gustaría ser como él la recuerda. A Manuel, tan joven como ella lo conoció. La fuerza de la gravedad ha hecho estragos, sus pechos ya no apuntan a las estrellas y él ha perdido pelo, también fuerza. Las arrugas aran sus rostros sin tregua, quién sabe qué sarros han sufrido sus dientes y desde cuándo sus huesos sienten dolor.

Manuel ya está esperándola en el muelle como un novio que aguarda en el altar. Lola se aproxima lentamente hacia el hombre al que solo una vez se entregó. Toma aliento. Llega y, sin casi mirarlo, pasa de largo. Él suspira aliviado y se va en dirección contraria. Desaparecen. Ninguno se vuelve.

La cruda realidad se queda sola en el muelle, segura de que hay recuerdos tan bellos que ni ella ni nadie los deben cambiar.

Colada estelar

A Asturias

Si no puedes evitarlo y quieres blanquear la noche también, tira de un lado y del otro del firmamento, arranca el manto oscuro del cielo y sumérgelo en agua y jabón junto con la luna que se posa sobre Riba-desella. Luego enjuaga todo y ponlo a secar.

Cuando me llegue el olor a limpio de la madrugada, subiré a Torre Cerréu a mirar el cosmos. Notaré que brilla más que otras veces y, aunque para todos sea solo una noche clara, yo sabré que tú, asturiana mía —dondequiera que estés allá arriba—, te has puesto a lavar.

Corazoncito

Era lo único que podíamos hacer por él, dadas las circunstancias. Sus padres se habían comprado un libro para enseñarle a dormir con un método infalible y llevaban noches dejándole llorar. Primero cinco minutos, luego diez y así hasta que aprendiera a dormir solo.

Una noche, el niño sollozó y sollozó. Papá no vino, mamá tampoco. Lloró más y más fuerte. Finalmente, se hizo el silencio, pero solo porque yo mismo salí de debajo de la cama y me lo llevé con mi familia al inframundo. ¡Para que luego digan que los monstruos somos nosotros!

Crisis climática

Te avisé de que el cambio climático era un hecho, que mientras la temperatura subía en el resto del planeta, nosotros dos nos íbamos enfriando. Todo empezó con un vapor gélido que te salía de la boca. No le di mayor importancia. Con el tiempo, las palabras comenzaron a caérsete como cubitos de hielo y las usé, sin más, para el *Gin Tonic*. Pronto las paredes de nuestro hogar se cubrieron de escarcha y una grieta inmensa dividió los dos lados de la cama. Cuando la montaña blanca brotó desde el abismo entre tú y yo, me empecé a preocupar.

Entonces, quise salvarte y para escalarla te até a mi cintura: un viento helado nos robaba el poco calor corporal que teníamos y la sensación térmica se volvió insoportable.

Perdí mil veces el equilibrio y el sentido de la orientación, pero, a pesar de la ventisca y de las avalanchas, seguí tirando de ti.

A duras penas logré llegar a la cima. Arriba hacía sol y me paré un segundo a disfrutar de la luz. Te miré. Divisé la ladera del otro lado y el arduo camino que tenía que descender contigo a rastras, y te corté la cuerda.

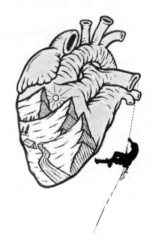

Cuando se derrama el mar

Mi padre volvió una tarde con la brisa marina y la misma ropa que llevaba cuando se ahogó. De sus bolsillos caían peces que no paraban de brincar. Se comportaba como si nada, así que no quise decirle que estaba muerto para no disgustarlo, pero intuí que ahí se acababa la paz.

El olor a salitre impregnó toda la casa. A su paso, el agua que le escurría por el cuerpo iba llenando de olas el pasillo. Al sentarse en el sofá, surgió un puerto del *chaise longue* mientras, en la última pared del jardín, la puesta de sol pintaba de oro la raya azul del horizonte.

Tenía ganas de pasar la tarde con él, pero mamá puso el grito en el cielo al ver el mar que anegaba nuestro salón. Ni el graznido de las gaviotas alrededor de la lámpara de techo logró silenciarla. Le dijo a papá que se fuera, que ahora estaba tranquila sin él, que vivo era un fantasma; y muerto, más.

Antes de que el maremoto de sus eternas discusiones destrozara de nuevo mi costa, subí a una de las barcas que flotaban en el comedor y busqué un rincón tranquilo para pescar.

Cumbre vieja

A los palmeros

Meses después de abandonar sus hogares, se hizo, por fin, el silencio. La lluvia de ceniza que caía sin tregua cesó. Se apagó el fuego y enmudeció el rugido del volcán.

Entonces, desnudos de pasado, salieron a la calle y, por la lava sólida que cubría el valle, anduvieron sin rumbo, con los puños cerrados, aferrados a llaves sin puertas a las que regresar.

Cruzar la raya

La raya blanca apareció de la noche a la mañana y dividió la ciudad en dos. El alcalde dijo que aquello era una señal y que no debíamos cruzarla. ¿Y quiénes éramos nosotros para contradecirle?

A un lado quedó la farmacia, la carnicería y el parque. Al otro, la plaza, la panadería y el hospital. A la izquierda, la escuela, el gimnasio y la taberna. A la derecha, la iglesia, la piscina y el cementerio.

Al principio nos lamentamos: que sin hospital cómo íbamos a vivir, que sin cementerio cómo íbamos a morir, que sin plaza dónde celebraríamos la fiesta, que sin cura quién nos iba a casar…Pero con el tiempo llegamos a acostumbrarnos. Los que se quedaron sin escuela enseñaban a los niños en casa y se automedicaban en la farmacia. Los de mi lado aprendimos a vivir sin carne y nos consolamos pensando que, al menos, teníamos pan.

Así vivimos muchos años hasta que un iluminado nos llamó imbéciles: «¿No veis que es solo una línea de tiza y que si queréis, la podéis barrer o cruzar?»

Esa misma noche, cientos de hombres y mujeres de ambos lados nos colocamos a lo largo de la raya, enterramos al iluminado y construimos el muro que ahora atraviesa la ciudad.

Dama, dama

Acaba de ganar las elecciones. Su mujer, primera dama a partir de hoy, es la reina de la fiesta. «Mi orgullo, mi pilar, sin ella no estaría aquí», repite tomándola de la cintura. Conversadora excelente, belleza que ciega a hombres y enciende la envidia de cualquier mujer. Intelectual, caritativa, carismática. Ha conquistado a todo un país. La pareja perfecta, dicen los presentes.

Al final de la velada los invitados se van marchando y los dejan solos. La ve ponerse algo más sexy, avanzar decidida hasta el coche y marcharse con los ojos inyectados de deseo, el mismo que un día sintió por él.

DeBiLiDaDeS

—Y de todos los cuellos del mundo —Se atrevió a preguntar la joven casi halagada—, ¿por qué quiere morder el mío?

—Porque es demasiado tentador. ¿Y usted por qué no se va corriendo?

—Por lo mismo, Conde.

Decisiones

Cojo óleos, pinto montañas y estrellas. Cuando termino, impregno todo el lienzo de blanco y creo algo diferente: franjas de tulipanes, bosques o el mar. Tejo un jersey como si no hubiese un mañana, después tiro del hilo hasta deshacerlo por completo y, con la madeja resultante, comienzo una bufanda. Armo un puzle de mil piezas y, al acabar, lo desarmo y lo armo hasta la saciedad.

Entonces, intento pintarte, armar todas tus piezas, tejerte, pero no puedo. Con la mirada perdida en el techo, me consuelo pensando en las cosas que haré y desharé mañana para tener, aunque sea un momento, la sensación de volver a empezar.

De quereres y poderes

Mientras jugábamos en la playa del pueblo, preguntamos a papá si sabía qué eran las antípodas. «Si hacemos un agujero por aquí, saldremos por Australia», respondió emocionado y, acto seguido, empezó a cavar. Mi hermano y yo —ansiosos por conocer tierras nuevas— lo ayudamos con cubos y palas. Después de seis horas habíamos hecho un hoyo muy profundo. Volvimos a casa hambrientos y dejamos a papá allá abajo sacando arena.

Esa fue la última vez que lo vimos. La marea cubrió el hueco y no supimos decir con exactitud dónde estaba. Las autoridades lo buscaron durante meses con todo tipo de maquinaria antes de darlo por desaparecido.

Lo peor vino cuando descubrimos en Wikipedia que nuestras antípodas eran agua a muchos kilómetros de la costa australiana. Mamá se puso furiosa y dijo que siempre había sido un charlatán.

Crecimos y olvidamos hasta que, años después, salió nuestra playa en las noticias porque brotaban canguros de la orilla del mar.

DE RAÍZ

Una vez me encontré un miedo minúsculo. Lo llevé a casa, lo paseé, le hice mimos y lo alimenté bien hasta que se hizo grande. Entonces empezó a reproducirse por gemación y en unos meses ya habían nacido miles de miedos diferentes: al ridículo, a las alturas, al fracaso, a la oscuridad, a los espacios cerrados…

Ayer me encontré
una envidia pequeñita
y la molí a palos.

Desaparecida

Cada día se acaba mi mundo y, como de las cenizas, vuelve a empezar. Cada mañana soy una niña distinta. A veces rubia, a veces morena, en un país diferente, con otra familia, otros idiomas, otras formas de jugar.

Todas las tardes me despido de los novios que podría tener con el tiempo, de las amigas que he hecho y de esa ciudad.

Debería acostarme contenta, segura de lo divertido que es despertarme en un sitio nuevo, pero cada noche se me hace más difícil irme a la cama sabiendo que le romperé el corazón a otra mamá.

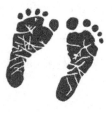

Destinos

Aquí termina su viaje con él. Ya no quiere esperar más en sus andenes ni volver a subir a sus vagones, donde siente que al ir está volviendo. Lleva años en su estación, atrapada en el trayecto recomendado, sin una avería ni retraso ni incidencia.

Ahora busca una ruta de mayor longitud de recorrido, con un número mayor de transbordos, que inaugure nuevas paradas, le ofrezca mejores combinaciones sin importarle su estación de origen. Por primera vez, ni siquiera necesita saber el destino.

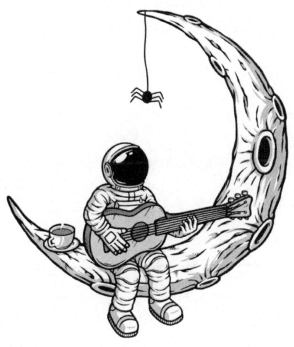

Déjate llevar

A los abuelos de la pandemia

Llegó sin bastón y vestida con un traje rojo de lunares blancos, el mismo que lucía cuando lo conoció. Aparcó justo en la entrada del hospital. Nadie la detuvo ni le preguntó a dónde iba. Entró por la puerta giratoria como si nada, cruzó los pasillos y, en segundos, se plantó al pie de la cama de su marido, quien nada más verla se sintió mejor.

—Tengo la moto abajo —dijo muy animada—, venga, deprisa, vámonos ya.

—¿Pero qué moto si no sabemos conducir?

—Aquí sí, y también podemos respirar.

Desayuno con amantes

A Chusa

Desayunamos en silencio. No sé si sabes que yo lo sé. Ninguno de los dos dice ni una palabra. Garabateo un corazón en una hoja y lo atravieso con una flecha. Se sale del papel y se me clava en el pecho, la sangre gotea en el zumo, pero tú sigues desayunando como si nada.

Luego dibujo un puente para que regreses a mí. Uno que pueda borrar mientras lo cruzas para que nunca vuelvas atrás. Saltas y caes en mi café con leche justo cuando estoy endulzándolo y casi te perdono otra vez, pero pinto una maleta y desde mi puente te digo adiós.

Dulce compañía

En la oscuridad del dormitorio, oye esos enormes pájaros que baten sus alas gigantescas alrededor. Lo rozan con las plumas y tiembla de miedo.

A veces se arma de valor y, a ciegas, les da golpes con la almohada hasta que los escucha alejarse volando. Siente alivio, pero con esa sensación de alivio llega también su desamparo. Luego, el día.

Esta noche también se repetirá la misma historia. Vendrá mamá a arroparlo y, antes de apagar la luz, rezarán juntos esa pequeña oración, origen de todos sus males: «Cuatro esquinitas tiene mi cama…».

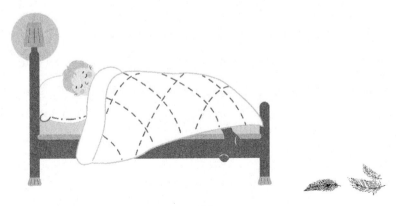

El archipiélago de tu espalda

Llevaba todo el verano viajando alrededor de las pecas de tu espalda como si fueran las islas de un archipiélago. Navegué julio y agosto, libre por sus orillas, a bordo de mis dedos, hasta que naufragué en la más pequeña, donde me quedé a vivir arrullado por la brisa de tus suspiros, a la sombra de un cocotero.

Pero el verano terminó y el coco que pendía sobre mi cabeza cayó por fin partiéndome en dos los sueños. Tú dijiste que te llevabas tus pecas. Yo hice como que no me importaba y fingí marcharme mar adentro. Tú recogiste las gaviotas, los barcos y las islas de tu archipiélago.

Puede que durante el invierno notes una ligera molestia en la espalda. No te alarmes. Soy yo que, sin querer, me he quedado varado en tu cuerpo.

Un día,

no encontró

ni un solo buen árbol

al que arrimarse,

y la SOMBRA,

en vez de cobijarle,

le perseguía.

El cambio

Me aburría la vida acomodada con tantas cenas de sociedad y personas vacías. Deseoso de un cambio, decidí probar eso que llaman «abrir el corazón» y dejé el mío de par en par. Entraron unos niños hambrientos primero, luego mujeres desamparadas, hombres sin techo, obreros sin sueldo. Me divertía aquella algarabía de gente vulgar con problemas cotidianos, pero —pasados unos meses— perdí el interés y les pedí que se marcharan. Como no querían, cerré las puertas y los dejé dentro. Ahí siguen, haciendo ruido.

Para mí ha sido un gran cambio, ahora finjo no oírlos, antes solo fingía no verlos.

El hombre invisible

Creo que no soy un superhéroe, porque no vuelo, excepto con la imaginación. Mi única fuerza es la de voluntad. No lucho contra el mal, solo contra el hambre y el frío.

Pero sí tengo un súper poder: soy invisible. Puedo cruzar la ciudad sin que nadie me vea, estar toda la mañana con la mano abierta sin que noten mi presencia y, lo más difícil: soy capaz de hablar sin ser oído.

A veces me pregunto si de verdad soy invisible o si el mundo está ciego. Sácame de la duda... ¿Tú me ves?

El mundo es un pañuelo

Mamá plancha el mundo, lo dobla y me mete en él. Papá lo extiende conmigo dentro. Con amor y unos pliegues, le hace tres piquitos y lo deja asomando del bolsillo de su chaqueta.

Así yo paso el día cruzando continentes y océanos de punta a punta.

El pozo

A Dolores

Como nuestro gran sueño era pasar por debajo del arcoíris, una mañana de lluvia, mi hermana Elisa y yo corrimos y corrimos por los campos. Queríamos cruzar aquella puerta gigante de colores que parecía alejarse cuanto más nos acercábamos. Pero nosotras, locas por conseguir atravesarla, seguimos avanzando de trigal en trigal hasta que nos salimos del pueblo.

Elisa nunca volvió.

Mi madre no ha dejado de llorar desde entonces. En su mirada perdida puedes ver cómo flota la niña de sus ojos. En cada lágrima suya se refleja el arco iris. Y si te fijas muy muy bien, ves a mi hermana cruzándolo.

El quitapenas

El oficio del quitapenas es ponerse triste por la gente que no tiene tiempo para llorar. Drena, por así decirlo, el dolor del prójimo para que no sufra.

La lista de espera para contratar sus servicios es larga: amantes con el corazón roto, madres con hijos desaparecidos, hombres que se han quedado viudos... Los elegidos firman un contrato mediante el cual el quitapenas se compromete a aliviar su angustia sin importar cuánto tiempo le lleve conseguir el objetivo. A cambio, solo les pide la voluntad.

A partir de la firma, los clientes siguen con sus vidas, ajenos a su propia desazón, mientras el quitapenas languidece, se siente desgraciado hasta que lágrima a lágrima escurre todo el dolor que la pena tratada puede causar.

Cuando ya ha cumplido su parte del trato, los agraciados llegan jubilosos a pagarle. Los más pudientes vienen con joyas, tierras o dinero y los más humildes traen gallinas, frutas o pan. El quitapenas rechaza sus ofrendas y, confundidos, se tiran a sus pies para darle las gracias por su labor desinteresada. Es entonces cuando saca el contrato, lee tranquilo la cláusula del pago y, diccionario en mano, les señala la acepción correcta de «voluntad».

El trato

Antes de ver lo que Arturito, el repetidor, llevaba en su caja de compases, acepté cambiársela por la mía. Primero pusimos dentro las cosas que nos dolían y nos comprometimos a llevar la carga del otro, seguros de que la nuestra era peor.

En mi caja metí el beso que Lucía —mi Lucía— le dio a mi vecino y la noche en que mi padre se fue. Al abrirla, Arturito se sintió huérfano de repente y se volvió desconfiado como yo.

En mi caso, desde que abrí la suya —hace ya tres años— estoy en quinto, coladito por los huesos de la maestra, dispuesto a repetir curso eternamente, sufriendo lo indecible por amor.

En el museo de Historia

Según íbamos de la era mesozoica a la moderna, desde Pangea hasta el mapa actual, del *Homo erectus* al sapiens, mi corta vida me fue pareciendo cada vez más insignificante comparada con la edad de la Tierra. Cada etapa duró miles de años, por no hablar de la eternidad que necesitaron los investigadores para analizar los datos, atar cabos y fundamentar sus teorías sobre lo que ocurrió.

Entonces, me dio por pensar en cómo pudo tu mujer detectar en solo dos días el *Big Bang* que explotaba entre tú y yo, y cómo sus celos —sin meteorito ni nada— aniquilaron lo nuestro y lo llevaron de inmediato a la extinción.

El éxodo de las sirenas

Las niñas hacen corro alrededor de la abuela para pedirle que cuente por enésima vez su historia favorita, la que narra qué ocurrió con las sirenas cuando se mudaron a vivir a tierra firme. Asegura que, poco a poco, perdieron sus escamas y la cola dio paso a dos piernas de mujer. Ahora viven entre nosotras, tienen sueños de agua y se desplazan ligeras como si el mundo fuera líquido y ellas, burbujas nada más.

Cuando las niñas se duermen, la abuela saca el cofre donde aún conserva sus escamas y mira nostálgica las piedrecillas y caracolas que se trajo del mar.

El éxtasis de sor Natalia

Es mentira que los ángeles no tengan sexo. De hecho, son muy juguetones, te acarician con sus plumas y, en el aire, te aman entre sus alas. Al menos, eso es lo que nos contó sor Natalia cuando se quedó embarazada. Que no pudo negarse porque aquel ser era un enviado del Señor y que entraba en trance con Él en lo que los franceses llamaban *la petite morte.*

Los rumores corrieron por los pasillos. Que le pusiera Miguel en honor al párroco, murmuraban las monjas que habían gozado de sus dotes divinas también. Que confesara su pecado y se dejara de fantasías, que aquella historia no se la creía ni Dios, decían las otras.

Sor Natalia no pudo aguantar las acusaciones, así que dejó atrás sus escasas pertenencias —nada de valor, excepto el rosario de oro heredado de su abuela— y se marchó.

Al cabo de unos años, mientras rezábamos el avemaría, apareció un niño detrás de la madre superiora y le puso las manos alrededor del cuello. Todas aguantamos la respiración.

Temimos que le hiciera daño, pero se limitó a quitarle con delicadeza el rosario de sor Natalia. Luego, se encaramó al alféizar de la ventana y voló.

45

En las nubes

A Madrid

En la Estación de Pintor Rosales nos subimos al teleférico. Enseguida dibujaste dos corazones en los cristales. Al pasar por encima de la rosaleda del Parque del Oeste, cogiste una flor. Me la ofreciste en la estación de Príncipe Pío diciendo que eras mi príncipe azul.

En la ermita de San Antonio de la Florida nos casamos, pero en el Templo de Debod dejaste de adorarme.

Del Palacio Real salió una princesa y la miraste como antes me mirabas a mí. En la Catedral de la Almudena le juraste amor eterno.

En la Plaza de España lancé nuestros anillos y sobre el Manzanares me puse a llorar. Junto a la Plaza de los Pasos Perdidos de la Casa de Campo desaparecieron tus huellas.

Hice el trayecto de vuelta sola. Los once minutos no bastaron para borrar tus besos de la cabina, pero al mirar atrás supe que el viaje había valido la pena.

El problema es que, desde que tengo los pies en el suelo, solo pienso en volver a volar.

Ensayo y error

En la sexta planta del hospital, la enfermera me coloca la goma elástica en el brazo. Es la primera vez. Tengo miedo, pero mamá está conmigo. Siento la aguja entrar y veo cómo extrae la sangre. El mundo se desvanece y pierdo la conciencia.

Me despierto en la sexta planta de un edificio abandonado, la goma elástica sigue en mi brazo, la aguja también. Han pasado veinte años. El mundo se desvanece: tengo miedo. Es la última vez y mamá no está.

Estrellas fugaces

Cuando llegó la hora, los niños se pusieron muy tristes y ocultaron las manitas inútilmente detrás de la espalda. Mi mujer soltó unas lágrimas y se quedó para la última. Luego, uno a uno, ofrecimos nuestras muñecas. Con un solo corte limpio nos arrojarían del paraíso para devolvernos al mundo terrenal, a una vida de esfuerzo y trabajo, al «ganarás el pan con el sudor de tu frente».

Aunque para sudores, los del recepcionista que, entre lo que había engordado mi mujer y la resistencia que opuso, casi no le quita la pulsera del Todo Incluido.

Fucsia sobre gris

Cuando abre la puerta de su dormitorio, la corriente hace volar las hojas secas de la buganvilla hacia el interior. Se esparcen por el suelo y, de camino al balcón, las esquiva para no escuchar ese sonido que hacen al pisarlas.

Mira la tierra seca y el tallo vencido. Es increíble. La planta no necesita casi cuidados, solo un poco de agua de vez en cuando, y han dejado que se muera. «Ya no se puede hacer nada», dice en voz alta. Él se acerca a ver qué pasa y, bajo sus pies, oye las hojas crujir.

Geografía accidentada de la adolescencia

Me cogió desprevenida este cambio. No sé si fue un sismo, la erosión o un viento intenso. El caso es que no vi llegar que te ibas y que, en realidad, no podías quedarte.

Tú y yo, que fuimos continente y península, montaña y llanura, rio y afluente, somos ahora placas tectónicas que se apartan.

Quieres ser islote, dices, flotar en otras aguas, sentir olas mar adentro. Es ley de vida este cataclismo y, aunque te prefiero delta, estuario, acantilado, siempre en mi orilla, sé que tengo que dejarte ir para que un día quieras volver.

Mientras rompes el espigón que durante tantos años te unió a mi playa, me preparo para cortarte el cordón umbilical por segunda vez.

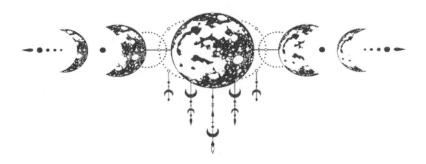

Guardiana de los sueños

Como buena madre, cada noche salgo de mi sueño, entro en el de mis hijos y los salvo de los peligros.

Hoy llego a tiempo de rescatar al pequeño antes de que el monstruo del armario se lo lleve.

Acto seguido, corro y corro con los brazos abiertos para atrapar al mediano. Lo espero al pie del edificio del que está cayendo.

Luego salgo disparada para arrancar al grande de las garras de la muchacha que lleva días agazapada en sus ojos. Es más rápida que yo y, al verme, se escabulle por una rendija y se le mete a mi hijo en el cerebro. Intento entrar, pero es tarde, todos los accesos están cerrados. Ahora es ella quien manda en sus sueños.

H20

Es agosto con ese calor que abrasa los cuerpos. La humedad se adhiere a la piel. En un banco de la plaza un hombre tiene sed. Observa cómo se desprende una gota de la frente de una muchacha, se desliza hacia la comisura de los labios y le cae por el cuello. Traza en su mente la ruta que dibuja mientras resbala entre la redondez de sus pechos.

Se le hace la boca agua.

Quién pudiese lamer esa gota que, junto a otras, fluye río abajo hasta el ombligo; precipitarse en el torrente sobre el triángulo perfecto de la joven; inundarla sin remedio. Quién pudiera llover y llover con ella; empaparse una vez más de ese aguacero; gozar a la intemperie de sus recovecos; regar surcos sembrados de deseo; diluviar juntos y que no amaine hasta escurrir agotados desde los muslos hasta el suelo.

Es agosto con ese calor que abrasa los cuerpos. En un banco de la plaza, apoyado en su bastón, un hombre se diluye en un charco de recuerdos.

Ineludible

Mi madre me pidió que la ayudara a ponerse guapa para su cita. Le llevé la raya del horizonte hecha un ovillo y se tejió un vestido de crochet azul.

—¿Te ves bonita? —le pregunté.

—No —respondió.

Sin dudarlo, le traje el mar escurriendo entre los dedos, se hizo un chal con flecos de espuma y se lo colocó sobre los hombros.

—¿Te ves guapa ahora, madre? —insistí.

—No —contestó.

No me rendí. Le llevé la tarde entera en las manos y, con el color carmín del ocaso, se pintó los labios.

—Y ahora madre, ¿te ves bien?

—Aún no.

Entonces llegó su cita a buscarla. Venía con todas las flores del camposanto y le prendió un crisantemo en su melena blanca.

—Ahora sí —murmuró.

Inocencia

A mi hijo Gael

Mi familia me oculta algo. Lo sé. Al principio no me daba cuenta de nada, pero ahora —después de ocho navidades— estoy empezando a sospechar que Papá Noel no es exactamente la persona que creemos.

Somos muchos a cenar el veinticuatro y siempre aparece embutido en su traje rojo durante el postre. Lo raro es que, justo antes, alguien se levanta de la mesa, sale y no vuelve hasta mucho después.

Por eso, esta Nochebuena estoy muy atento a los movimientos de todos, quién entra, quién sale y quién falta cuando llega él. El abuelo lleva barba blanca, pero no está para muchos trotes, papá no se aleja de la sidra, el primo Luis no se despega de su novia sueca, que no se entera de nada y según mamá no le durará hasta Reyes. Así que me voy a concentrar en mi tío Andrés. Sirven el postre. No le quito ojo. Él a mí tampoco.

Soy el único niño. Hago como que me embeleso con las luces del árbol y me como un trozo de turrón. Mira el reloj. Una vez, dos, tres. Dice que va al servicio. Bingo, a los seis minutos llega Papá Noel con el saco. Tiene la barba torcida, le asoma el cuello de la camisa y en la muñeca lleva el reloj de mi tío. Reparte los regalos a ritmo de *jou, jou, jou* y se marcha.

Intento salir tras él. Mi madre se cruza en mi camino, que a dónde voy sin abrir los regalos. Dudo. La esquivo. Corro por el pasillo, bajo las escaleras, llego a la calle. Ni rastro del trineo con los renos. Vuelvo a subir. Mi tío regresa a la mesa dos minutos más tarde. Parece cansado, será de tanto correr. Creo que se ha dado cuenta de que he resuelto el misterio. Me guiña un ojo, yo a él también. Su secreto está a salvo conmigo. Jamás le contaré a nadie que Papá Noel durante el año se hace pasar por mi tío Andrés.

Juego de niños

Cuando sonó la alarma, la profesora nos indicó con una sonrisa que íbamos a realizar un nuevo simulacro de evacuación. Ya nos había parecido divertido la primera vez, así que teníamos muchas ganas de repetirlo. Mantuvimos el orden; atendimos las indicaciones que nos daba; no recogimos ningún objeto personal; salimos ordenadamente y sin correr, en silencio… Finalmente llegamos al patio: nuestro punto de encuentro.

Esta vez el colegio había usado más efectos especiales: teníamos humo de verdad e incluso la directora salió tosiendo. Aplaudimos emocionados a los bomberos cuando entraron con las mangueras.

El ruido de las sirenas de las ambulancias se oía más y más cerca. La profesora hizo un recuento y comprobó que estábamos todos. Fue entonces cuando se abrazó a nosotros y, mirando las enormes llamas que arrasaban el colegio, rompió a llorar.

La cita

A Pamplona

Nos conocimos el seis de julio de 1995 entre la multitud que salpicaba de blanco y rojo la Plaza del Ayuntamiento. Él, de Pamplona; yo, americana. Nuestra historia no pudo continuarse en el tiempo, pero no por eso deja de ser real. Ya se sabe que, a los quince años, nadie detiene la vida para amarse.

Al final de la fiesta hicimos una promesa y pusimos una fecha: cuando tuviéramos cuarenta años, si ninguno de nosotros estaba casado, nos volveríamos a encontrar. Nuestra cita sería en la puerta de la Iglesia de San Lorenzo, donde aquella noche nos besamos después de miramos de esa manera que cambia el mundo a mejor.

Volví a mi país. Aún no había móviles ni usábamos internet. Durante mucho tiempo nos escribimos cartas larguísimas en las que nuestra promesa seguía en pie, pero con tantas mudanzas perdimos el contacto.

Este año es nuestra cita. Mi corazón está libre. Presiento que aún me quiere. Acudirá al encuentro, lo sé. Es un hombre de palabra. Pero la fiesta se ha suspendido por la pandemia, mi vuelo también.

Por favor, pamplonicas, pasad por San Lorenzo el siete de julio a las ocho, decidle que me espere, que aplazamos nuestro amor hasta el año que viene. Volveré.

La Ciudad de la Alegría

Me dices que en la Ciudad de la Alegría todo son risas y que sus habitantes vuelan ligeros. Con las manos impregnadas de felicidad, embellecen lo que tocan y pintan con colores brillantes las escenas que en esta vida falsa son en blanco y negro. No poseen casa propia porque pueden aparecer en cualquiera de los lugares donde han vivido. Tienen aventuras con personas que siempre han deseado sin saberlo. Regresan a la infancia si quieren, vuelven a ver a sus padres, hacen piruetas en el aire y convierten en realidad todo lo que cabe en sus sueños.

Me dejo llevar por tu entusiasmo y, aferrada a tu mano, con los ojos cerrados, alzo el vuelo.

Es tan mágico flotar en el aire.

Al llegar a destino, descubro que tienes razón y, posada en una nube rosa, veo muy pequeñitas las dos jeringuillas que dejamos tiradas en el suelo.

La impura verdad

Al parecer, todo empezó hace años, cuando a un pez gordo de una cadena televisiva se le ocurrió contratar guionistas de cine para que adaptaran las noticias de forma atractiva en los informativos.

Pronto pasaron a escribir los sucesos directamente y a llevar esas historias a platós donde eran escenificadas por actores antes de emitirlas en televisión. Los periódicos no tardaron en entender que la verdad no hacía falta ni que ocurriera y se limitaron a hacerse eco de la información ofrecida por la tele, añadiendo titulares gancho para el lector. Las ventas se dispararon y, aunque ya ha pasado mucho tiempo, seguimos obsesionados por la actualidad: desayunamos con la prensa, la radio puesta para no perder detalle, y aprovechamos salas de espera, ascensores y bares para tratar los temas más  candentes del país y del extranjero. Incluso, los intensos debates se acaloran tanto, que precisamos de la intervención policial. Nadie niega que somos más sociales y felices ahora. Por supuesto, hemos apartado de nuestro entorno a los cuatro pelagatos que no están al día de los acontecimientos, esos pobres desinformados que prefieren vivir ajenos a la realidad.

La isla

Mi marido quitó la antigua cocina y aprovechó para reformarla por completo. Cuando empezó el verano ya la tenía casi lista. Para culminar su obra, instaló una isla en el centro con una encimera negra de Silestone y puntitos brillantes color plata. «Lo que yo necesito es un viaje, unas vacaciones en una isla, no un mueble», le grité.

Él, ni caso.

Con el paso de las semanas, los brillos de la encimera se volvieron intermitentes y, al mirarlos con más detenimiento, logré identificar las constelaciones. Desde ese día, ocupaba, incansable, las horas cortando verduras sobre el rígido cielo lleno de estrellas. Pasó una fugaz y le pedí un deseo. Bueno, dos. Quizás tres.

Por la mañana me desperté sola y una brisa me acarició la cara. Al pisar el suelo, creí sentir arena bajo mis pies. Seguí unas huellas que me llevaban por el largo pasillo a la cocina y me pareció ver en la cenefa la raya azul del horizonte. Me disponía a hacer un café bien cargado cuando las olas empezaron a romperse como encajes de espuma contra mi isla.

Sonreí. Miré embelesada el vuelo de una gaviota. El agua me salpicó entera, al tiempo que un apuesto náufrago me hacía señas desde la orilla. Entonces, dejé el pijama y las dudas sobre la encimera y corrí hacia el mar.

La Isla del Viento

Yo nací en la Isla del Viento, una isla secreta, minúscula, en medio del Atlántico. En diez pasos estaba en el norte y, si me zambullía al agua, en seis brazadas llegaba al sur. Me hacía vestidos de algas y caracolas, y la brisa —enredada en mis oídos— me susurraba palabras de mar.

Un día la marea trajo un náufrago, el capitán de un barco hundido. Me enamoré. Yo soñaba con tener una hija de agua y una vida juntos entre anémonas, peces y corales, pero mi capitán salió a bucear una mañana y no regresó.

Supliqué a las olas que me lo devolvieran y lloré sin tregua hasta que meses después arribó un barco. Salté de alegría al verle al timón. Cuarenta personas bajaron a tierra, todos excepto él. Mientras los recién llegados pisoteaban mi pequeña costa, seguí mirando con aten-ción al barco. «Excursiones a la isla secreta», acerté a leer.

La jaula

A los cuatro años, miraba las golondrinas y pasaba las horas agitando los brazos hasta que por fin un día salió volando.

—Un niño pájaro, qué vergüenza, las aves llenan de excrementos los alféizares de las ventanas y son tontas además —dijo el abuelo antes de mandar tapiar las ventanas.

De adolescente, podía entonar con éxito cualquier melodía. Las palomas se posaban alrededor de la mansión para oírle cantar.

—Cierra el pico de una vez —dijo el padre—. Un cantante, por Dios, este muchacho tan raro será nuestra ruina, nunca se hará cargo del negocio familiar.

Casi un hombre, pasaba las horas junto a la jaula del canario. Vosotros me entendéis, decía.

—¿Pero ahora hablas con los pájaros también? —vociferó la madre—. Sigues en las nubes. O vives con los pies en el suelo o te vas.

No dijo ni pío, se puso el traje, tomó las riendas de la compañía y, en poco tiempo, multiplicó los beneficios por diez. Ahora trabaja en su enorme despacho en la última planta de un rascacielos.

—Por fin —dicen aliviados—, nuestro hijo es normal.

Desde entonces, cada noche, sin falta, una canción bella y triste sobrevuela la ciudad.

La letra con amor

A mis compis de la EOI Los Cristianos

Nunca había aprendido tanto en clase como aquel año en que la profesora de inglés vino inexplicablemente renovada de las vacaciones de verano. Su felicidad planeaba como un avión de papel por el aula y a nosotros se nos pasaban las horas volando.

Para *Listening* oíamos canciones románticas. Para *Speaking* representábamos a *Romeo y Julieta*, en *Reading* teníamos que leer la historia de grandes parejas de todos los tiempos, desde Marco Antonio y Cleopatra hasta John Lennon y Yoko Ono, y en *Writing* escribíamos cartas de amor.

Pero una mañana la profesora se quedó inmóvil en la pizarra con el rotulador en la mano. Después de un rato, con un sollozo contenido, nos explicó en sólo quince minutos el genitivo sajón, el estilo indirecto, las frases condicionales y la voz pasiva. Luego llenó la pizarra con palabras para definir en inglés: bombardeo, terremoto, erupción volcánica, ciclón, huracán y armas de destrucción masiva.

Seguimos su mirada perdida a través del ventanal que daba al patio. Vimos al profesor de alemán de la mano con la secretaria del Centro y en ese momento supimos que sin amor ya no íbamos a aprender nada.

La mujer del pescador

Cuando Eleonora se cansa de su aburrida vida marital, sale a la almena del castillo y mira al océano. Ve un barco acercarse por el horizonte con su marinero a bordo. Atraca, escala el acantilado, trepa el puente levadizo, la envuelve en brisa y ella, loca de gozo, se deja amar. Luego se marcha por donde vino y en los ojos de Eleonora empieza el diluvio universal.

Los ríos de llanto corren hacia el foso donde Noé se apresura a hacer un arca, busca una pareja de cada especie, entra en su mirada y zarpa pupila adentro. Un salmón se cae del arca, nada en el iris de Eleonora, flota en una lágrima que resbala, se escurre desde la almena y llega al mar. Al rato vuelve corriente arriba con una botella. Lleva un mensaje de su enamorado que seguro la espera en el puerto. Al leerlo las murallas se desmoronan, las torres también:

«Eleonora, traigo la barca llena de peces para escamar, no soy tu marinero sino tu marido, así que deja de hacer castillos en el aire y baja ya».

La mujer de piedra

Desde joven coleccionaba amores de diferentes materiales. Primero cortejó a la chica de papel, pero se le hacía pedazos en los días de lluvia. Luego vino la de agua, pero cuando se evaporaba tenía que esperar al final del ciclo hidrológico para que bajase de las nubes. La de aire estaba tan vacía por dentro que el viento la arrastraba como a una pompa de jabón.

Después tuvo muchachas de fuego, de nieve, de arena... Todas lo amaron y se deshacían por él en el sentido más literal de la palabra. Sin embargo, se obsesionó con la mujer de piedra, a sabiendas de que era como una rueda de molino, capaz de pulverizar a cualquiera. Iba de dura y le excitaba su fortaleza. Pasaba las horas cincel en mano, moldeándola, pero ella no podía ir contra natura y lo hizo trizas.

No pudo olvidarla. Tras mucho llorar, recompuso sus trozos y volvió con ella. Dicen que desde entonces lo oyen gemir de dolor cuando lo desmenuza, lo fracciona, lo tritura, lo desmiembra...

Desde entonces también dicen que el hombre es el único animal que tropieza dos veces con la misma piedra.

La mujer invisible

Muchas veces desea pasar desapercibida. Le incomoda la excesiva atención que produce su belleza.

Una tarde como otra cualquiera se pone un lindo vestido, unos zapatos de tacón y el carmín. Atraviesa avenidas y muelles, ve decenas de hombres, cruza plazas y bares, pasea debajo de andamios de obreros, recorre la ciudad entera. Nadie le habla ni le sonríe ni se vuelve a mirarla. Siente alivio, luego duda. No entiende los motivos de esta súbita indiferencia.

Exhausta, decide volver a casa en autobús. Un joven muy amable le cede su asiento.

La pescadora de bronce

A Pedro Tejera

Hace veinte años que la estatua de la pescadora preside la plaza del puerto. El escultor cinceló con esmero la tela de su vestido empapado por las olas, tan ceñido a su figura que deja entrever los pliegues prohibidos de su cuerpo, la geometría del triángulo de su vientre, el círculo cerrado de los pechos. A la cabeza lleva una cesta repleta de pescado.

Cada noche un pobre se acerca, la ayuda con la carga, pasa los labios por su cuerpo desde sus pechos de bronce hasta los dedos desnudos de los pies. Afirma que la pescadora se estremece y suspira.

Todos murmuran que es un loco enamorado de una estatua, pero a él le da igual. La abraza, se despide hasta el día siguiente y vuelve a casa con las sardinas frescas que ella le ha dado para cenar.

La propiedad conmutativa

En mi familia, el orden de los factores no cambia ni altera el producto. Estudié con las monjas como mi madre. Por las tardes limpiaba, planchaba y bordaba mi ajuar, en ese orden, mientras mi hermano jugaba al balón. A los dieciséis papá le mandó al burdel, a los dieciocho a la universidad.

A mí me insistieron en la pureza, factor determinante que no se podía alterar. Me casaron con Simón, un abogado prometedor. Fue infiel con una clienta, con una prima lejana y con su secretaria. En ese orden.

Mis padres siempre han dicho que aguante, que al menos me mantiene. Mi única esperanza de cambio es un hijo, pero Simón nunca está.

Últimamente, he optado por conmutar y me acuesto con Ramón, Demetrio y Luis, o con Luis, Demetrio y Ramón.

El orden de los factores no importa, porque sea cual sea el producto, le llamaré Simón.

La santera

Cuando vivíamos en La Habana, la abuela hacía milagrillos, amarres, magia blanca y leía el porvenir en la ceniza de su puro. Al mudarnos a Kansas en los setenta, casi como único equipaje, se llevó una foto de El Malecón que miraba constantemente para enterarse —según ella— de cómo seguían las cosas por allá.

Mientras nosotros perseguíamos sueños americanos, la abuela lloraba las penas por dentro, hasta que un día de mil novecientos setenta y siete se empezó a llenar y dijo que veía clarito su propio futuro: o regresaba a Cuba o el Caribe vendría a buscarla.

«No podemos volver», le repetíamos, pero insistía: «Oigo las olas, ya viene el mar». Y ocurrió.

Una masa inmensa de agua entró por la puerta y se la llevó por la ventana con puro y todo. «Les advertí», gritaba mientras la corriente la arrastraba calle abajo.

Pobre mujer, pensamos, se fue sin saber que, en realidad, era la lluvia la causante de la inundación y el desbordamiento del río Kansas.

Mientras achicábamos agua y lágrimas, encontramos aquella foto de El Malecón que siempre solía mirar. Estaba borrosa. Nos acercamos y vimos lo que parecía una cortina de humo en la imagen. Al disiparse, apareció la abuela tan tranquila fumando su habano junto al mar.

La sed de la tierra

A los Bethencourt

Don Benito no se explica cómo a su yerno, después de quitar varas de las vides toda la jornada, aún le quedan ganas de recorrer el cuerpo de la viuda Isabel.

Tampoco entiende cómo a ella, tras bajar hasta el fondo del barranco a por agua o a lavar la ropa de sus tres niños, cansada de la siega, la trilla o la molienda, todavía le apetezca que un hombre casado le dé placer.

No hay trozo de finca donde su hija no haya llorado su pena. Tampoco hay vereda ni plaza ni abrevadero donde no se hable de los pechos redondos como eras de la viuda Isabel. De la brillante melena que resbala y los cubre al quitarse el pañuelo negro de la cabeza. De un surco que te traga como si el amor fuera una semilla y tú el único hombre que entiende de siembra...

No, don Benito no puede permitir esta ofensa.

Todo el pueblo lo sabe: el marido de su hija es infiel. Por eso le ha mandado venir y le ha ordenado que cuide de su esposa que para eso se casó con ella. Que le haga hijos que hereden, que quiere disfrutar de sus nietos antes de que la vejez lo sorprenda. Lo ha amenazado con quitarle las tierras y la vida si lo ve acercarse de nuevo a la casa de esa mujer.

Se encargará en persona de vigilarlo y, para ello, cada tarde acecha el callejón de la viuda Isabel.

Comprueba con sus propios ojos que su yerno lleva semanas sin visitarla: por fin ha entendido el mensaje y no volverá a las andadas.

Entonces llama a la puerta de la viuda y entra él.

Las dos mujeres

Que todo es culpa mía, dice. Se levanta y se va al gimnasio, pero no puede ir sola, no. Tiene que arrastrarme a mí. Yo no puedo ni con mi alma, pero por no oírla voy también. Cuando me subo en la cinta de correr, quiero hacer veinte minutos y volver a casa, ella dice que sesenta, que antes podía, que por qué ahora no.

No le gusta mi pelo, ni mis manos, ni mis patas de gallo. Me viste, me peina, me maquilla, pero nunca está satisfecha. La decepción se refleja en sus ojos. Le suplico que se resigne, que me deje en paz, que quiero leer un libro con mi mantita de lana sobre las piernas. Insiste en que solo yo puedo ayudarla a regresar.

La encaro frente a frente. «Ya no te quiero aquí», digo muy seria y por fin se marcha cabizbaja.

En el fondo me da pena hablarle así. «Te echaré de menos», le susurro y me quedo mirando cómo se aleja abatida la mujer que fui.

La tragafuegos

Aunque desde la primera impresión sospechaba que el tiempo no mejoraría este circo, lleva décadas haciendo malabarismos para no herir a nadie. Mientras todos aplauden, ella se cubre la mueca de los labios con una sonrisa, como el payaso que vuelve a la función tras un funeral.

Camina descalza por el techo de la carpa para no despertar a su marido, el titiritero. Allí arriba, deja que su ventrílocua interior le cuente las verdades que no se atreve a aceptar. Salta de trapecio en trapecio convencida de que, en las alturas, el peso de su tediosa vida tiene menos gravedad.

Cuando baja, anda por la cuerda floja de los días donde a veces pone a tender la colada. Pero ya no quiere ser la mujer bala que sale disparada cuando él la necesita, tampoco la equilibrista y, mucho menos, la leona domada que mira la vida tras los barrotes de su jaula de cristal.

No. Hoy ha encontrado por fin el trampolín que la lleva lejos de este circo, en concreto hasta una cama elástica donde una contorsionista le aviva ese fuego que, durante tantos años, se ha tenido que tragar.

Lenguas vivas

Me quedo mirándola sufijo a los ojos y me siento el sujeto más predicado del mundo. Con voz pasiva le susurro lo adjetiva que es. Ella, muda como una hache, me analiza sintácticamente. Mientras intento adivinar en su elipsis si también desea una oración copulativa, me da una oclusiva bilabial sonora que volvería apócope a cualquiera. Luego, se quita lentamente la tilde y la deja en el suelo. Yo también. Acerca su verbo al mío y nos conjugamos enteros con suavidad. Al rozarle las diéresis se vuelve esdrújula. A mí se me sustantiva el morfema y me pongo gerundio como un nominal. Tras mil complementos circunstanciales de modo, llegamos —entre interjecciones— al glosario y caemos léxicos sobre las sílabas blancas.

Soy un semántico y la acurruco entre mis párrafos para recitarle un fonema. No le gusta la subordinación de los pronombres «tú» y «yo», me dice. Recoge su tilde del suelo, se la pone y se va: ya ha diptongado, así que me deja hiato.

Me quedo dativo con la mirada perdida en el nexo, recordando su desinencia, maravillado por la sintaxis tan singular del género femenino.

Lentejas

Cuando era muy pequeña le pregunté a mi madre de dónde venían los niños. Me contestó que todo empezaba con una semilla —como una lenteja— que se plantaba en los vientres de las mujeres y que iba creciendo lentamente hasta convertirse en un precioso bebé.

Algunos años después, le salió una mancha pequeñita, parecida a una lenteja, y la fue consumiendo poco a poco. Algunos lloraban, ella no. Se mantuvo tranquila y sonriente durante todo el proceso. Yo también. Las dos sabíamos que solo estaba haciendo el mismo recorrido que hizo para llegar a la vida, pero al revés.

Líneas coincidentes

Ayer, en el metro, conocí y perdí a la mujer de mi vida.

—Vaya, estás leyendo la misma novela que yo —le dije.

Sonrió. Charlamos. Le encanta el flamenco, yo fui bailaor. Le apasiona la montaña, yo escalo. Los helados de coco le chiflan, a mí me gusta el coco hasta en el jabón.

Es aparejadora; yo, arquitecto. Me pidió mi número. Me apresuré a inventármelo —como todo lo demás—, pero me juré, ante su inminente pérdida, que nunca volvería a ser el imbécil que soy.

—Por cierto —dijo antes de bajarse—, me llamo Amada, ¿y tú?

—Amador.

Líneas divergentes

Pasaba horas dibujándote mis sueños en las palmas de las manos para que vieras tu vida entera en pequeñito, conmigo amándote. Garabateaba niños en tu línea del futuro y te trazaba caminos alargando las rayas para andarlos junto a ti desde las yemas.

Tú sonreías como si supieras leer el destino que te había escrito y yo me acurrucaba sin miedo en tu porvenir. Cuando te frotabas las palmas, me adormecía al calor del roce. Entonces aprovechabas para sacudir las manos con fuerza hasta que no te quedaba ni rastro de mí entre los dedos.

Luz de mi vida

Hugo sabe que no queda tiempo y que hay noches que no terminan cuando sale el sol. Por eso, al ver que la tarde, allá en el horizonte, despinta los colores del ocaso y lo inevitable apaga sin remedio las luces de su firmamento, coge decidido la escalera más larga y sube hasta el mismo cielo. Allá arriba hace frío, pero con su santa paciencia ordena las estrellas por su grado de luminosidad, escoge solo una — la más radiante— y la baja a rastras por la Vía Láctea.

Al llegar a su casa, la coloca con cuidado en el dormitorio de su madre. Los presentes alegan que el resplandor los deslumbra y, con esa excusa, aprovechan para esconder sus ojos llorosos tras gafas de sol.

Hugo lima las puntas del astro hasta conseguir un fino polvo de estrellas y hace montoncitos brillantes que va envasando al vacío para preservar su fulgor. Cuando la cantidad le parece suficiente para unos cuantos años, despide a su madre con un beso en la frente y le susurra que ahora puede irse tranquila, que ya está preparado para el gran apagón.

¡Madre de Dios!

Eva, al rechazar la manzana y matar a la serpiente, se ganó no solo la vida eterna sino la admiración y respeto del Todopoderoso, lo que la llevaría a convertirse en su mano derecha. De hecho, en el paraíso no se hacía nada sin contar con el visto bueno de la primera mujer.

La eternidad fue, sin embargo, un calvario para el celoso Adán que, por su frágil naturaleza de barro, sufría al ver a su esposa debatiendo siempre asuntos con el Otro.

La situación no mejoró con el paso de los siglos. De los milenios, tampoco. La gota que colmó el vaso vino cuando Eva dio a luz a un bebé tan clavado al Padre, que no podía ser de Adán. Los rumores se extendieron por el reino de los cielos y de la tierra. Muchos se alzaron para defender al sexo débil, o sea, al marido fiel.

El Omnipotente —viendo que la magnitud del escándalo amenazaba la vida del recién nacido y la paz dentro y fuera del Edén— esa misma noche de diciembre dejó al niño en el establo donde una tal María pernoctaba con un tal José.

Maguas del paraíso canario

A mis Rodríguez

Creo que cuando todo termina vuelve a empezar. Por eso estoy segura de que hoy regreso a mi tierra. Al fisquito de gofio. Al no te arregostes, mi niña. Al muelle desde donde mi padre tiraba la pandorga al fondo del mar.

Sí, voy a soltar el bastón para correr entre el millo, besar a Luisito en las bembas, enchumbarme en la tajea. Podré saltar otra vez en los charcos, arrullarme en las olas y coger burgados cuando baje la marea.

Cuando por fin llego ante las dos puertas, no sé por cuál de ellas me harán pasar. La primera está entreabierta. Tiemblo al ver la calima y diablillos que se abanan las moscas en la lava del volcán.

Entonces alguien quita el fechillo para abrir la otra y me recibe mi abuela con agüita fresca del bernegal.

Malas elecciones

Todo lo hice por amor, señoría. Me enamoré de mi vecina, pero una mujer tan guapa tiene mil pretendientes, la competencia es dura y yo soy muy tímido. Así que le escribí una nota, la metí en el sobre sepia del Senado y me dirigí a mi mesa electoral de la que ella era presidenta. Lo introduje en la urna y me fui a casa a fantasear con la cara que pondría al encontrar mi mensaje durante el recuento de las papeletas.

Le parecería tan tierno que se intentaría comunicar conmigo esa misma noche, seguro. O quizás no. Igual me odiaría por ponerla en ridículo. Me entró el pánico, ansiedad, no sé... Podía haber pensado mejor en las consecuencias, pero me cegué, señoría, entré en el colegio electoral justo antes de las ocho de la tarde, cogí la urna y eché a correr.

Mari Fe

—Quédate un rato más, hija —me implora cuando le dejo una bol-sita con el pan.

—¿No quieres un té, un sándwich, una naranjada?

—No, los niños me esperan.

—Pues, tráelos para verlos, mujer.

Sonrío. ¿Cómo explicarle? Bajo la escalera con la promesa de volver.

—Adiós, Mari Fe, abrígate bien que empieza a refrescar —me grita de nuevo desde el balcón.

Me pongo la chaqueta que llevo en la cintura y le digo adiós con la mano extendida y el corazón encogido.

Sé que me mira hasta que el final de la calle se hace pequeño y desaparezco de su vista. Sus palabras retumban en mis oídos como un eco: Mari Fe, fe, fe... Sé también que su vida no es asunto mío, que mi ayuda es pan para hoy y hambre para mañana, pero no puedo evitar pensar en cuánto me gustaría llamarme Mari Fe.

De hecho, en cuanto llegue a casa, preguntaré a mis hijos si les haría ilusión tener abuela otra vez.

Mojo picón

Todos me preguntan por el ingrediente secreto. No saben que la luna menguante parece un diente de ajo y me transporta sin remedio a la cocina de ayer.

Me encaramo sobre tu recuerdo, te unto con aceite, te echo una pizca de sal de mi vida, añado cominos —de esos que menciono cuando digo que ya no me importas—, acerco mis labios, te pruebo para que notes también mi pimienta y, por fin, con movimientos muy suaves te pones picón.

Luego, machaco todo hasta que tu imagen se desvanece en el fondo del almirez. Te veo partir y, sin querer, con las manos llenas de ajo me froto los ojos. Aprovecho para llorar tu ausencia con la esperanza de drenar mi angustia por última vez.

Dos lagrimones bien grandes completan el mojo.

El pueblo pareció mejorar cuando la empresa contratada por el alcalde para matar el aburrimiento, colocó las letras de HOLLYWOOD en la colina.

Animados, pasábamos las noches eligiendo vidas y aprendiendo el guion: las limpiadoras se quitaban los guantes como Gilda, los policías hacían persecuciones, los hombres actuaban como James Bond… Estábamos tan metidos en nuestros papeles que hasta las madres nos levantaban diciendo: «Luces, cámara, acción».

Solo empezamos a preocuparnos cuando, finalizado el contrato, apareció «The End» en medio de la Plaza Mayor. Desde entonces no paran de salir títulos de crédito a cuentagotas y, por cada nombre nuevo, perdemos a un actor.

Norte y Sur

Cuando el dueño del reloj de arena le dio la vuelta, sus habitantes aprovechamos para bloquear el embudo y quedarnos arriba. En ese momento el tiempo se detuvo y nosotros —ahora inmortales— construimos montañas, plantamos árboles y convertimos aquel desierto en un vergel.

Cuando el dueño regresó, temimos por nuestro microcosmos, pero se limitó a abrir el reloj con delicadeza, rellenó con arena, sol y agua la parte inferior y escribió «Playa» en un cartel.

Mirando embelesados las olas del nuevo paraíso, entendimos que no todo era norte, que el sur existía también y que, para alcanzarlo, valía la pena echar a andar el tiempo otra vez.

Nunc aut nunquam

Cuando llegaron Más Adelante y el Día de Mañana estábamos tomando el fresco. Caminaban lentamente, como si arrastraran una pesada carga. Ya estamos aquí, dijeron y soltaron todo lo que durante años habíamos ido dejando para Más Adelante: las clases de teatro de mi hermana Puri, la carrera de mamá, las vacaciones familiares en el mar y la reducción de jornada de papá. También trajeron los momentos que perdimos por estar trabajando para el Día de Mañana y las personas a las que renunciamos, como mi novio Lucas, el pobre, que lo abandoné porque no podía darme un futuro mejor.

Se fueron muy deprisa. Las ofrendas y los sacrificios que habíamos hecho por ellos se quedaron tirados en el suelo.

Son nuestros, dije, venga, vamos a usarlos. Pero mamá ya no quería estudiar, Puri tenía un puesto fijo en el ayuntamiento, yo me había casado con un idiota y, a estas alturas —con la vida tan hecha— era imposible irnos a la playa todos juntos.

Papá —a punto de jubilarse— fue el más desilusionado con la visita y empezó enseguida a hablar de un tal Aquellos Tiempos.

Desde una esquina, el Día de Hoy observaba la escena esperando, tal vez, que alguien le prestase un poquito de atención.

Orígenes

A la hormiguita le contaron que Noé había fabricado un arca para salvar una pareja de animales de cada especie antes de que empezara el diluvio universal. Corrió mucho, pero cuando llegó, ya había otras dos por lo que Noé no la dejaba subir. Desesperada, se puso a llorar. Un oso que también se había quedado fuera la vio tan triste que se ofreció a ser su pareja. El primer oso hormiguero no se haría esperar.

Oro

Ese ruido me matará tarde o temprano. Tendría yo unos tres años la primera vez que lo oí y nunca he dejado de sentirlo. Lo escuché bajito durante mi infancia, en mi primer beso y en la universidad. Estuvo presente en mi boda, en el nacimiento de mis hijos y cuando se fueron de casa. Empezó a sonar más fuerte al jubilarme, cuando llegaron los nietos y al fallecer mi amor.

Su sonido aún me persigue día y noche y está a punto de alcanzarme, lo sé. Pero yo ya no puedo correr y él vuela: «Tic-tac, tic-tac, tic-tac».

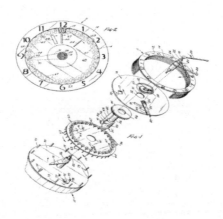

Oro amarillo

Cuando tuvimos que irnos de nuestra isla natal, echábamos tanto de menos la playa que, para devolvernos algo del paraíso perdido, papá cubrió de arena el jardín de nuestra nueva casa. Allí pasábamos las horas haciendo castillos y soñando mareas.

Una mañana encontramos las primeras conchas y apareció el primer rayo de sol. El mar no se hizo esperar y llegó con su brisa, olas y peces.

Construimos un pequeño muelle con rocas y, mientras mamá se zambullía en el agua, papá ocupaba las horas pescando y nosotros saltábamos de charco en charco.

Nuestro hogar era el único que gozaba de sol todo el año. El rumor sobre nuestra playa dorada se propagó y empezaron a venir vecinos primero y visitantes de todo el país después.

Fue entonces cuando aparecieron las autoridades con una orden de demolición alegando que nuestra casa estaba demasiado cerca del agua. Fuimos desalojados para construir hoteles de cinco estrellas. Detrás llegaron agencias, bares, tiendas, más turistas y campos de golf.

Cuando los sueños ajenos volvieron a adueñarse de la orilla, otros niños ocuparon nuestros charcos y otras toallas reservaron nuestra arena, zarpamos tierra adentro hacia otro mar.

Otras guerras

La humareda que se ve a lo lejos es María quemando dudas de camino a casa de Manuel. Anda decidida, dispuesta al ataque, con el maquillaje de batalla, colores de combate, deseosa de contienda. Hoy es el día, está claro: a él le urge verla. Seguro que la considera algo más que una amiga y por fin se ha decidido a traspasar esa frontera.

A cada paso que da con los tacones, tiembla la tierra. Ya lo imagina. Por fin la besará mientras le arranca la ropa para conquistarla. Llega soñando enredos de muslos, bocas y manos, escaramuza de cuerpos que se esconden uno en el otro como en una trinchera.

Manuel la hace pasar y enseguida confiesa —entre sollozos— lo que le sucede. María le abraza y, con un suspiro, acierta a decirle que no llore, que pelee, que seguro que ese tal Luis del que se ha enamorado también le quiere.

PAPEL MOJADO

¡Por fin! Después de todo el verano deseando besarla llegó el día. Salí del agua decidido. Pero justo antes de rozar sus labios, una fuerza sobrenatural me arrancó de cuajo y me lanzó a la papelera más próxima.

¡Maldito escritor! ¡Siempre cambiando de idea!

Papiroflexia

Cuando te fuiste, me convertí en un simple folio en blanco. Me alisé bien y escribí en ambas caras lo que sentía por ti. Con unos cuantos pliegues precisos me doblé hasta transformarme en un avioncito de papel. Cogí impulso y salí volando por la ventana. Atravesé la avenida, la plaza y el parque. Al llegar a tu casa, en vez de aterrizar, me estrellé contra tu puerta y caí.

Encontraste el avión tirado en el suelo, lo abriste para leer lo que te había escrito y con unas tijeras cortaste el folio en mil pedacitos. Me estremecí al sentir tus dedos, quería quedarme a vivir en tus manos, pero soplaste y todos los trozos que ahora me conformaban salieron volando por el balcón.

No sé si alguna vez lograré recomponerme.

De momento, una nube de confeti viaja por las calles y sobre el pueblo llueven palabras de amor.

Paraguas perdido

Cuando desplegaste tu paraguas sobre mí empezaron las lluvias. Primero fue la de estrellas, las nombraste una a una en mi honor. Luego llegó la lluvia de besos y finalmente decidimos pasar por la lluvia de arroz y flores.

Después del nacimiento de Rocío vino un período de sequía. El paraguas perdió color y resistencia. Ya no soportaba las lluvias torrenciales y las heladas terminarían con él sin remedio.

Sé que hace unos meses te salió el sol en algún sitio y desde entonces otro arcoíris brilla en tus ojos.

En los míos llueve a cántaros.

Y no escampa.

Pastillas azules

Desde que el nieto de don Antonio le cambió las pastillas de la memoria por unas azules, cientos de jubiladas hacen cola en su puerta. Él las trata a todas con mucho mimo, las ama como si fuera el último día de su existencia y les reaviva la epidermis recorriendo los caminos olvidados de su anatomía. Luego las despide con un beso en los labios y la promesa de más.

Ellas se alejan con un brillo en las pupilas que alumbra las calles del pueblo al tiempo que dejan en las aceras suspiros de felicidad. Por la noche, don Antonio repite emocionado los nombres de todas las mujeres que ha amado durante el día, escribe los poemas que les recitará y, para aprenderse los versos, los ensaya una y otra vez en el espejo ante el asombro familiar.

—Pero, abuelo —le preguntan—, ¿tú no tenías pérdidas de memoria?

—No, lo que tenía era una vida que no valía la pena recordar.

Pequeño capitán

Desde la proa de su velero, sueña con capturar el pez más grande del océano. Se imagina llegando al puerto, cubierto de gloria, entre aplausos de los pescadores.

Les contará la lucha entre él y su presa, cómo al encontrarse frente a frente se miraron a los ojos con respeto, encandilados por las agallas del rival.

O quizás no. Les relatará tal vez el abordaje pirata que seguro está a punto de acontecer. Detallará cómo venció a cien hombres con sus cien patas de palo, para fundir en la fragua sus garfios y hacerse un somier para el colchón.

O mejor aún. Avistará una sirena y la llevará a la orilla para que todos lo envidien. Tendrá con ella una hija de agua y espuma que se hará famosa por su burbujeante voz.

Pero comprueba decepcionado que no pasa nada a excepción de las horas. Que tanta calma no tranquiliza y que parece anclado a pesar de su pericia con el timón.

Cuando empieza a preguntarse por qué no hay olas ni viento ni horizonte ni agua, una fuerza sobrenatural levanta por los aires la embarcación.

Sonríe. Cree por fin ver el mar en los ojos azules de un niño que —embelesado— sostiene la botella de cristal con el pequeño velero en su interior.

Pérdidas

A mis tías

Me gusta mi tía porque me trata como a una chica mayor. Incluso me enseña su cajón de las picardías. Tiene de todos los colores. Dice que en realidad son para el tío Paco y se ríe. A mí me cuesta imaginarlo con esas prendas transparentes de encaje, pero allá él.

Hace cosas muy locas. Cada vez que pasa un avión me dice que le pida un bebé. Yo pensaba que los traía la cigüeña, pero se ve que, como ella es extranjera, vienen de más lejos. Le hago caso y cuando pasa alguno, le grito que quiero un niño y, si veo tres, pues se lo digo a los tres.

Nunca me traen ninguno, igual es que se equivocan de dirección o se pierden. Me preocupa porque a lo mejor no se han dado cuenta de que soy la misma y me aparecen un día con los ochenta chiquillos que les he pedido y vamos a tener un problemón.

Mi tía lleva ahora unos meses en reposo, tejiendo. Ha ido al hospital y ha vuelto con los ojos enrojecidos. El año pasado igual. El anterior también. Todos le dicen que se anime, que encargue otro y ya está.

Yo sé bien lo que le pasa y no quiero verla llorar. Ya le he dicho que no se preocupe, que de mayor quiero ser piloto (¿o se dice pilota?) para que no se nos pierda ni un solo pedido más.

Pesos y vacíos

Cogió la casa grande donde se crio, la dobló bien y la puso en la maleta. Encima colocó el primer beso y las historias de la abuela. En los huecos metió las tardes de pesca, el muelle y la arena de su tierra natal.

Sus padres y su novia se plancharon para que los llevara, pero como no cabían, lloraron todo el camino hasta el aeropuerto.

Entre sollozos llegaron al mostrador de facturación. Tenía exceso de equipaje. Empezó a entender que emigrar era eso: pagar siempre por el peso que llevaba y aún más por el que dejó.

Postre «Bienmesabe»

Para consolarme, elaboro tu postre favorito: el bienmesabe. Muelo con fuerza las almendras y tu imagen. Enciendo el fuego; añado tus fotos; coloco encima la olla con agua donde dejo tus besos; echo el azúcar para endulzar mi amargura y la ralladura de medio limón. Remuevo para que no se pegue como tu aliento a mi cuerpo. Cuando coge el punto de espesura, lo dejo enfriar. Eso tú sabes mejor que yo cómo hacerlo.

Agrego las yemas y pienso en las de tus dedos. Las bato al tiempo que digo: «Bienmesabe tu cuerpo, bienmesabe tu aroma, bienmesabe tu amor». Luego me echo a reír: ¿A quién se le habrá ocurrido ponerle a este postre un nombre en presente?

Lo meto en un tarro de cristal, escribo «Bienmesupo» en la etiqueta y lo envaso al vacío por si algún día me hace falta recordar tu sabor.

Posverdad

Era un desconocido hasta hace poco. Sin embargo, está a punto de recibir el mayor galardón literario por su primera y única novela.

Sin convocarse el premio, la prensa nacional aseguraba que sería el ganador. Sin publicarla, ya estaba vendida. Cuando puso el punto final, había miles de personas en la puerta de su casa esperando. Mientras la escribía, la televisión autonómica afirmaba que era un genio. Antes de empezarla, la radio del pueblo lo presentó como un autor reconocido.

Y justo antes, sin idearla siquiera, empezó el rumor: Eduardo estaba escribiendo. Dicen que lo vieron ir a comprar papel.

Praeteritus Tempus

Durante cuarenta años no has dejado de pensar en aquel mar de tu niñez: el muelle donde dabas volteretas, las pandillas de muchachos, los barquitos y las tardes de pesca con papá.

Regresas hoy por fin al sitio añorado y corres a buscar tu infancia. Encuentras solo las calles, el muelle y el agua. Carcasas de la existencia que fue.

Tú sabes bien lo que recuerdas y ningún presente lo va a cambiar, pero entiendes de pronto que hay lugares de la vida a los que no puedes volver despierto.

Así que te sientas y, con los ojos bien cerrados, miras de nuevo aquel mar.

Prioridades

Un político deseoso de saber a qué enfocar su política convocó un concurso con suculento premio. Para participar, los concursantes tenían que traer lo que les resultara indispensable en sus vidas.

Llegaron masivamente personas de toda edad y condición. Traían teléfonos; mascotas; tabletas; la Virgen; dinero; medicinas; libros; etc. Algunos trajeron cosas menos tangibles: sabiduría; curiosidad; sexo; belleza o amor.

Se explicaron las bases: ganaría quien consiguiera convencer a todos de que su aportación era imprescindible y se quedarían allí a debatir durante una semana, sin ayuda exterior, usando únicamente lo que había traído cada uno.

Solo se quedó el que trajo 20 litros de agua.

Protagonista accidental

El mismo niño me pide que le empuje el columpio por enésima vez. Dejo a mis gemelos solos y lo empujo un poquito más fuerte. Sale disparado y se estrella contra el suelo. Enseguida vienen sus padres, dos policías, una ambulancia y un abogado. Me ponen una denuncia por acoso infantil y una demanda por lesiones.

Sale el vicario de la iglesia con doscientos feligreses y me increpan por abandonar a mis gemelos. Me hacen un juicio mediático exprés y pierdo la custodia de los niños. Muchos adolescentes me graban con el móvil. La noticia se hace viral a un ritmo frenético. No puedo respirar, transpiro y me mareo. La ambulancia se lleva al niño lesionado.

Todos señalan el árbol. ¡¿Dios, pero es que me van a colgar?! Ya voy a salir corriendo cuando entre las ramas vislumbro la cámara oculta.

Proyección de futuro

Mi madre dice que la fuerza de la costumbre es más grande que la del amor. Mientras la peluquera me acicala el cabello, mi mente me lleva a una mañana dentro de cincuenta años. Veo mi vida rebobinada hacia atrás: mi jubilación; los nietos; el último pago de la hipoteca; el día en que los hijos se fueron de casa; su nacimiento; la compra de nuestro hogar; la pasión inventada de la luna de miel. Siento el peso de la alianza en mi anular. Me maldigo por mentir. Me oigo pronunciando: «Sí quiero». Veo a mi futuro marido esperando en la ermita y el brazo de mi padre, al que me aferro de camino al altar. Veo el coche engalanado en la puerta, el vestido blanco, el maquillaje y a la peluquera que me acicala el cabello.

Con lágrimas en los ojos me despido de los niños que no tendremos. Hoy es el día de mi boda y no me voy a casar.

¿Qué hora es?

Cuando te fuiste, viajé por el mundo. Visité el reloj solar de Machu Picchu, el astronómico de Estrasburgo, el Big Ben de Londres, el de la Torre de Ciudad del Cabo y el de la 5ª Avenida de Nueva York.

Y en todos era hora de olvidarte.

¿Qué voy a hacer?

Demasiado equipaje en su maleta marrón, pensó. No podía ni levantarla del suelo. La abrió. Con razón pesaba tanto, si es que se llevaba la falta de interés de su pareja, las veladas aburridísimas con los suegros, la cursilería de los cuñados… Empezó a sacarlo todo. Sonrió. Se podía imaginar perfectamente al dramático de su novio cuando descubriera que se había ido: iría de víctima diciendo que le había abandonado sin la menor indulgencia.

Terminó de vaciar su maleta de piel. Decidió llevarse solo su bikini de rayas. Minúsculo para poder tostarse bien en la arena. Eso sí, le escribió una nota de despedida: «Me marcho. Solo te dejo recuerdos de mi ausencia». Salió dando un portazo y se fue buscando el sol en la playa.

Dicen que desde entonces él la nombra entre sollozos, pero ya es tarde: Eva María se fue.

Ramón y yo y viceversa

Ramón, mi marido, me dijo que no podía tener una aventura conmigo pues estaba casado y no quería causarle dolor a su mujer.

Yo anduve rápida y le contesté que podíamos dejarnos llevar un día y luego olvidarnos. Aceptó. Nos amamos como si no hubiese un mañana, pero no satisfecha, le pedí que nos viéramos de nuevo. Dijo que tenía que pensar en su matrimonio, que una vez era un desliz, pero dos no, que toda una vida juntos, que por un rato de pasión no podría echarlo todo por la borda...

Se fue. Me rompió el corazón. Entonces marqué mi número para llamar a su mujer y le pregunté qué haría en mi lugar. Contestó que adelante, que ella estaba liada ya con un hombre casado y que si yo quería quedarme con su marido, mejor que mejor.

Enseguida telefoneé a mi esposo y le di el chivatazo: su mujer se veía con otro. Vino corriendo a mi casa. Dijo que ahora que ella no lo amaba, no había impedimento para nuestro amor. Le cerré la puerta en las narices. Yo no soy segundo plato de nadie y menos de un cornudo y un infiel como mi Ramón.

Receta del frangollo

Nada más entrar, te vi hervir la leche junto con la piel del limón y luego —traviesa— te vi desaparecer. Al rato volviste con un palito de canela y juraría que olí también el aroma de la mezcla.

Echaste la harina de maíz en la leche y removiste bien. En mis manos diminutas me pusiste un puñado de pasas y almendras. Las eché en el caldero con el azúcar. Me suplicaste que, si te marchabas, no dejase de revolver.

Te vi ponerlo en una tarrina y sonreír como si nunca hubieses salido de esta cocina. «Si te gusta como a mí, que no se te enfríe», susurraste antes de irte. Hay cosas que nunca se enfrían, abuela, pensé.

Créeme, todo eso sucedió cuando, después de tantos años deshabitada, entré en tu casa con el cartel de «Se vende» y, al cerrar los ojos, te vi volver.

Reencuentros

Había murmullos que ocultaban secretos. Había regalos que mamá me daba a escondidas, tal vez a mitad de agosto o en primavera. Regalos con olor a chocolate, a caramelos o a mazapán.

En casa nunca tuvimos belenes ni árbol ni adornos. Por algún motivo que desconocía, mi padrastro había prohibido tajantemente la Navidad, pero a mí de pequeño ya me encantaba subir a los tejados y bajar por las chimeneas. De hecho, solía quedarme atascado y tenían que venir a rescatarme.

De las paredes de mi habitación no colgaban pósteres de cantantes como en las de cualquier niño de mi edad, sino paisajes del Polo Norte. Si me preguntaban por mi animal favorito, contestaba que el reno. Mi color preferido, el rojo. Mis grandes pasiones, la nieve y los trineos. Mi sueño, poder volar. En el colegio repartía golosinas entre los niños y mis carcajadas sonaban siempre a jo jo jo, no a ja ja ja.

Cada año, sin falta, escribía una carta a Papá Noel. No le pedía regalos, solo quería conocerle, que me enseñara el oficio, pero nunca me respondió. Crecí y de adulto me rodeé de bastones de azúcar, luces, guirnaldas, villancicos y unas ansias inexplicables de vivir la Navidad.

Cuando al cabo de muchos años murió mi padrastro, recibimos por fin en Nochebuena la visita de Papá Noel. Mi madre ya era una anciana, pero al ver a aquel hombre, le brillaron los ojos como dos trozos de estrella polar.

Se miraron de esa manera que detiene el tiempo y que cambia el mundo. Entre sollozos se abrazaron y, de repente, toda mi vida empezó a encajar.

Rutinas

En el fondo me hizo gracia. Mira que venirme a decir ahora, después de cuarenta años, que nunca me ha querido. Me dio por reír. «Yo a ti tampoco», le dije, más que nada para que se quedara tranquilo. Suspiró aliviado. Me besó en la frente y se hundió en el sillón orejero a ver la tele mientras esperaba la cena.

Me puse a hacerle una tortilla bien cuajada, con todo, como a él le gusta. Quizás me pasé un poco con la cebolla porque, mientras la cortaba, no podía dejar de llorar.

Saneamiento

Ayer arrojé tu amor a la taza del váter y tiré de la cadena para que se fuera por la red de saneamiento de la ciudad.

El poco cariño que me tienes viaja ahora con las aguas residuales por el sistema de drenaje urbano hasta la estación depuradora. Es ahí donde tengo puestas mis esperanzas de que, tras el largo proceso de filtrado, me quieras más.

Para asegurarme, iré a recoger tu amor personalmente a la costa, esperaré en los lugares de vertido autorizados y, si no regresa a mí en condiciones, dejaré que se pierda para siempre en el mar.

Segunda mano

Vi que mi ex vendía nuestra historia de amor por internet. Como es un delito poner a la venta algo que no es tuyo, cogí un abogado y le demandé. Su defensa alegó que su cliente tenía que deshacerse de nuestro pasado juntos porque había sido un valle de lágrimas y tanta agua le estaba inundando el chalet.

El jurado no logró empatizar conmigo y perdí el caso. Entonces, yo misma abrí la página del anuncio y le contacté para comprarle nuestro viejo amor. Me dio su dirección actual. Era cierto que su casa parecía ahora Venecia, tan romántica que me quedé a ver la puesta de sol naranja y rosa sobre el Gran Canal.

Desde entonces miramos juntos Wallapop, en busca de góndolas de segunda mano en las que volver a navegar.

Simbiosis

Repites que no me preocupe, que lo importante en nuestra relación es la simbiosis. Acto seguido, me explicas la interdependencia entre abejas y plantas: el insecto se nutre del néctar de las flores y en su viajar propicia la polinización.

Luego hablas de los líquenes, una unión de hongo y alga que se juntan para colonizar más territorio. Añades que el rinoceronte y el pájaro se ayudan entre sí. El ave lo limpia de parásitos al tiempo que se alimenta.

Insistes en cómo nos beneficiamos el uno del otro, en qué me aportas, en qué te doy. Pues, mira, me has convencido, gracias a la simbiosis, te voy a dejar. Por fin entiendo tu papel en nuestra relación, y me he cansado de que seas el pájaro que eres, el parásito, el hongo y, en definitiva, el insecto que siempre va de flor en flor.

Solamente una vez

Saca el recuerdo que lleva bien doblado en su memoria y vuelve a la playa donde se conocieron. Se sienta sola a mirar el mar y rebobina mil veces la misma escena: él le desabrocha el estrés del trabajo y lo lanza detrás de las rocas; le quita la rutina a tirones y va a parar a un barquito varado; por último, hace ovillos con sus dudas y los esparce por la arena. Ella se descalza de todos sus miedos, se baña desnuda en el mar de sus ojos y, limpia de culpa, se deja amar. Luego, en silencio, recoge todas las prendas, se las pone una a una y vuelve a casa con su marido.

Guarda el recuerdo de aquella noche bien doblado en su memoria. A veces lo saca, se lo pone y sonríe. Después sigue con su vida.

Soltando lastre

A Manuel

La deconstrucción me resultaba excitante, la veía como aserrar la rama en la que uno está sentado, esa que nos da confort y seguridad. Me arranqué, curioso, la ropa y los prejuicios para llegar a lo nuevo y lo imprevisto. Me deshice de todo atisbo de exclusión, opresión, control y poder. Desmonté la justificación del abuso, la violación del espacio y los años de historia patriarcal.

Luego, desnudo, ligero, sin taras, me ofrecí a ti, listo para amar. Y entonces sí, cuando nuestros cuerpos se rozaron —deconstruidos, iguales, libres, sin peso, sin rama y con alas— no tuvimos más remedio que volar.

Súbita mejoría

Pestañeó dos veces para decir que sí como cada vez que estaba agotada. Soltó la mano de su madre. De repente se sintió radiante, ligera, con ganas de flotar. Se levantó de la cama dando saltitos; bajó las escaleras deslizándose por la barandilla; cruzo el jardín haciendo volteretas en el aire; de un solo impulso llegó hasta la segunda planta y entró a su dormitorio por el ventanal. Vio que su cuerpo sin vida seguía sobre la cama, se recostó aliviada después de susurrar a su madre: «Por fin tú y yo vamos a descansar».

Tatatachán

—Ploc, ploc —insiste una gotera.

—Riiin, riiin —masculla el teléfono.

—Blablablá —dice la señora.

—Blablablá —responde el fontanero.

—Toc, toc —Suena la puerta.

—Ploc, ploc —insiste la gotera.

—Tan, tan —concluye el martillo.

—Plic, plic —argumenta la lluvia.

—Piii, piii —avisa el horno.

—Ñam, ñam —opina él.

—Chinchín —dicen ambos.

—Tilín —exclama el Amor.

—Mua, mua —musitan los dos.

—Ñeeec, ñeeeec —reitera el colchón.

—¡Ah! ¡Oh! ¡Ah! —suspiran ambos.

—Ding, dong —interrumpe el timbre.

—Ejem, ejem —sermonea el marido.

—¡Bang! ¡Bang! —sentencia la pistola.

—Ploc, ploc —insiste la gotera.

Tejido familiar

Mi juventud son recuerdos de un taller de costura en Michoacán, un mundo de agujas, seda y lino donde mujeres de retales adorábamos a hombres cortados por el mismo patrón.

Mi padrastro solía pasear sus apuestas hechuras haciendo zigzag. Decían que dedicaba los días a cortar cuellos al bies, pero nunca nos atrevimos a preguntarle.

Mamá hilvanaba sueños rotos hasta que apareció don Tomás. Quería un traje para su boda. ¡Cómo no! ¿De paño, algodón, tergal?

Contarían las malas lenguas que lo midió mil veces recorriendo con la yema de los dedos mangas, sisas, solapas y desde la entrepierna hasta el bajo del pantalón. Le hacía pruebas a diario. Acudía gustoso, pero no parecía hacerle mucho caso. Las faldas de todas menguaban para la visita, los escotes crecían y —embelesadas— bordábamos momentos con él en nuestra imaginación.

Por fin el traje estuvo listo. La boda también. No llegó a casarse. Lo cosieron a balazos de camino al altar.

Mamá zurció como pudo la culpa de que alguien matara por su amor. Mi padrastro remendó la suya en el penal.

Yo callé preguntándome si el botón que llevaba pegado en mi vientre se parecería a él o a don Tomás.

Temores

—No me creerás, pero el viento trajo un parque volando. Al rato llegó un sombrero, una camisa, unos pantalones, un indigente.

—¿Y qué hiciste?

—Le puse el pie encima.

—¿Para que no saliera volando otra vez?

—No, para que no se levantara.

Tempus fugit

Llego pasada la medianoche y sobre el pecho de mi madre rompo a llorar. De madrugada ya corro por los patios tras mariposas cuyas alas son libros de dos hojas que me enseñan el camino a la escuela.

Al mediodía Amelia se me enreda en el pelo. El primero de sus besos detiene el tiempo sobre mis labios y de nuestro cruce de miradas brota una niña que llamamos Alba. De su mano, jugamos unas horas con el reflejo de las nubes sobre el agua. Antes de la merienda la vemos partir, a media tarde vuelve con nuestro nieto en brazos y, entre cuentos y canciones, olvido que es casi hora de hacer algo de cenar.

Un viento frío agita los árboles y Amelia me deja solo. La algarabía de las calles enmudece y solo oigo el ruido de las hojas secas que crujen bajo mis pies cansados. Me siento en calma en la terraza a observar cómo los últimos rayos de sol pintan de ocaso el océano. Cuando la noche se posa sobre mí, suelto el bastón, corro de ola en ola hasta la raya brillante del horizonte y me voy con la luz que se esconde tras el mar.

TE QUIERO

Desde que trabajas de caramelo en el bar de la espina, se me traban las palabras y vivo hecha un manojo de puerros. Hago como si nata, pero tus ojos color café no se me van de la cerveza.

Muero por llenarte los labios de berros, estar contigo carne con carne, rebozados, vuelta y vuelta, pero aquí sigo sentada a la fresa, con el corazón coco por ti.

Por fin te acercas y preguntas qué tomo. Yo susurro: "Quiero té", esperando que tú entiendas que lo que de verdad intento decir son esas dos palabritas, pero al revés.

Torres más altas

Por esta parte del mundo ya no necesitan de mis servicios como antes. Están ahí sentados, hablando con los que no están, sin tocarse siquiera. Me estoy quedando fofa: con un encargo de vez en cuando no basta para mantenerme. Por eso anoche fui decidida a la central eléctrica, lo picoteé todo y provoqué el gran apagón.

Mi táctica está dando sus frutos: algunas parejas se han visto más en estas dos horas a oscuras que en diez años de electricidad. La semilla está sembrada. Ahora toca esperar en mi nido. Con suerte, dentro de nueve meses tendré tanto trabajo que no haré otra cosa que volar.

Tránsito

Doña Eulalia entra en la consulta como un elefante en una cacharrería, quiere saber cuánto le queda para salir del hospital, ¿y qué puedo decirle yo si no sé? Suspiro. Me armo de paciencia. No puedo darle nada, aparte de conversación, pero hago como que la ausculto y se tranquiliza por fin.

Detrás llega Olga, sin llamar, me enseña sus heridas y me pregunta cuánto falta para irse. Mucho menos, le respondo —por decir algo— y le pongo vendajes nuevos, a sabiendas de que es inútil.

Unos minutos después aparece Pedro —por tercera vez hoy— con la misma dolencia de siempre. Se queja de que su situación no ha mejorado nada aquí. Tiene razón, de hecho, ha empeorado. Le digo que no se preocupe, que solo está desorientado y confuso, como todos, pero que pronto verá la luz.

Así pasan los días. Unos se van y otros llegan. En realidad, no puedo ayudarles, pero no me cuesta nada atenderles, aunque sea intercalados entre los pacientes de verdad. Por lo menos hasta que sus almas salgan de Urgencias.

Tres cosas en la vida

Y en aquel mundo tan cambiado, las mujeres daban a luz libros de los que crecían rosas. De las rosas brotaban niños lectores que se convertían en árboles cuyo fruto eran hombres que amaban a mujeres que, al sembrar palabras, engendraban libros…

Umbrales

Desde muy niño sospechaba que allí se escondía algún misterio, pero nunca me había atrevido a explorar. Sin embargo, aquella noche, con manos inexpertas, abrí la puerta a un mundo nuevo y, aunque estaba muerto de miedo, seguí avanzando más allá de los límites conocidos por mí. Primero tímidamente, luego más decidido, con la mente puesta en alguna meta que supusiera un principio o un fin. Sin saber a dónde iba, crucé el último umbral y sentí que me desprendía de la tierra, que el corazón se me aceleraba tanto que podría dejar de latir, que un temblor me recorría entero, que un rayo me partía en dos, que seguro me iba a morir.

Caí rendido o fulminado, no sé. Enseguida fui consciente de la gravedad de mis actos y todas las palabras sobre paraísos e infiernos que el Padre Luis había pronunciado durante años de clase y misa cayeron sobre mí.

Me dormí rezando, ahogado en culpa, implorando a dios que me perdonase, que no lo haría más. Pero cuando desperté, rocé sin querer la erguida fuente de mi gozo y, al ver que aún no me había quedado ciego, volví a pecar.

Una historia de miedos

En mi novela se ha quedado a vivir el personaje de una niña que se hace mujer viendo la vida pasar desde una ventana en el último capítulo. Si mira hacia dentro, ve cómo las páginas han perdido hasta el color. Entonces piensa en salirse del guion, escapar por la portada y meterse en un libro de aventuras, pero no se atreve. Le dan miedo los cambios en la trama. Por eso repite una y otra vez los mismos renglones, a sabiendas de que el libro es malo de principio a fin.

Una lluvia con buqué

Al atardecer vimos que unas nubes blancas, gigantescas, casi transparentes se acercaban al pueblo. A la mañana siguiente nos despertó la lluvia, ruidosa, incesante, golpeando los techos. Salimos a la calle y comprobamos que caía vino blanco del cielo. El aguacero nos empapó de la cabeza a los pies hasta escurrirnos por todo el cuerpo, las ropas húmedas se nos ceñían dejando entrever muslos, espaldas y pechos.

El aroma cambiaba y nos llenaba los sentidos de especias, flores y frutas. Nunca habíamos sido tan felices. Pasamos semanas danzando, con las bocas abiertas, embriagados de alcohol y deseo.

Cuando vimos que la lluvia no acababa, llenamos las presas, las albercas y las barricas. Pronto nos convertimos en expertos en vino blanco y nuestro pueblo enseguida fue el lugar más próspero de la comarca. Vendíamos el excedente y con las ganancias hicimos carreteras, arreglamos la iglesia, la escuela, e instalamos toldos en algunas calles para cuando queríamos estar secos.

Así vivimos muchos años hasta que una mañana escampó de repente. Los cielos aparecieron azules, despejados, el aire perdió su rico aroma y solo olía a fresco. Lloramos, ¿qué íbamos a hacer ahora para subsistir? Pasamos los días cabizbajos, tendríamos que administrar las barricas que nos quedaban, buscar otra forma de vida, emigrar…

En nuestras cavilaciones estábamos cuando vimos que unas nubes gigantescas —esta vez de color vino tinto— se acercaban al pueblo.

Un rubí sobre el puente

Era mi primer día de escuela. Mi madre me arregló el pelo y me prendió una flor sobre los rizos. Planchó bien mi falda gris de peto y la blusa clara. También estrené zapatos nuevos. Un grupo de hombres uniformados llamó a la puerta. Me sentí importante, dijeron que el presidente de la nación los había enviado a recogerme. Los vecinos me despedían entre vítores y sollozos. Mientras me subía al coche oficial, me alegré de que tratasen como princesas a las niñas que iban al colegio.

Cuando llegamos, había cientos de personas gritando por fuera, policías a caballo y otros en motocicleta. No era famosa así que, a juzgar por la algarabía, supuse que estaban celebrando el Día de la Independencia. Seguro que el motivo por el que, a mi paso, todos los padres entraban a sacar a sus hijos del colegio era llevarlos a la fiesta.

El director del centro me acompañó al aula —ahora vacía— donde me esperaba la maestra. Ella era blanca y yo, su primera alumna negra.

Un viaje sin retorno I

Recorrí la piel de la ciudad en el bus. Sus entrañas en metro. Subí a la montaña en tranvía. Desde el teleférico y el funicular te busqué desde el aire. Di vueltas en los buses turísticos. Ni rastro.

Haré lo mismo mil veces. Hasta que te encuentre.

O te olvide.

Un viaje sin retorno II

Eres el metro que llega a mí cavando túneles, el bus que se detiene en todas mis paradas, el teleférico que me lleva a las alturas. Pero subes y bajas de mi vida cuando quieres como en el bus turístico. Tu amor se me hace cuesta arriba. Confío en el funicular.

Vacío

Ando con flores en las manos y a lo lejos te veo plantar el trigo. Mientras corro hacia ti, no para de crecer. Yo tampoco. Avanzo entre las espigas altas, juegas al escondite. Cantas. La cuadrilla de vecinos viene a ayudar antes del amanecer para aprovechar la fresca. Desaparecer. Las hoces ensayan el baile propio de la siega. Te veo en la era. Empieza la trilla. Avientan la paja. Te sigo hasta el molino cargada con el grano. Los sacos de harina vuelven ladera abajo hasta la casa de piedra. Te pierdo de vista, pero en la cocina esperas para enseñarme a amasar. Sonríes. Espolvoreas de blanco la mesa y te limpias las manos en el delantal.

Todo eso, madre, desde que llegué al pueblo a ponerte estas flores y, al pasar por la única tienda abierta, olí el pan.

Viña marina

A veces nos alejábamos de la costa y esperábamos en la barca a que papá terminara su inmersión. Luego nos contaba que había estado cuidando los viñedos que tenía debajo del mar. Mi madre odiaba sus fantasías, pero a mí me encantaban sus historias de uvas y cepas.

Un día no salió a la superficie y lo buscaron durante varias semanas hasta que encontraron sus aletas a millas de distancia. Cuando las autoridades lo dieron por muerto, celebramos sin cuerpo su funeral.

Desde entonces, los pescadores que faenan por la zona aseguran que una brisa con aroma a vino acaricia el mar.

Vita via est

A mi padre

El último tramo del camino es a veces pedregoso; otras, un puente de plata; para algunos, un callejón sin salida. Para ti fue como escalar una montaña con la punta de los dedos, aferrado a la vida. Te imitamos, valientes, decididos. Subimos contigo agarrándonos a la roca. Mientras avanzabas, paliamos dolores, suavizamos temores, vigilamos la cuerda y el arnés para que pudieses disfrutar de la brisa.

Querías volver a algunos lugares. Volviste. Decir adiós. Te despediste. No ibas a cumplir más años, pero celebramos juntos los minutos del día.

Con las manos ya agrietadas llegamos a la cima. Miraste, sereno, el camino recorrido. Sonreíste, satisfecho. Ya solo quedaba rendirte y, aliviado, te dejaste caer.

Nosotros descendimos también, más solos, más sabios, más mortales, con unas ganas inmensas de atrapar cada instante, de tocarlo todo, pero durante mucho tiempo tuvimos las yemas de los dedos en carne viva.

Voces en la soledad

La Muerte era testaruda, pero mi madre más. No iba a permitir que se llevase a mi hermana por mucho que insistiera, así que la acompañaba día y noche. Cada vez que venía a por ella, la sobornaba con algo que la Parca no tuviese: una caricia, un poema de amor, una canción con su prodigiosa voz. Divertida, aceptaba nuestras ofrendas y nos dejaba en paz durante un par de semanas, pero luego regresaba.

Con el paso del tiempo se volvió más exigente. Yo misma tuve que darle mi ilusión, mi padre la vista y mi abuela la memoria. Sin embargo, nunca se daba por satisfecha.

Cuando se obsesionó con la voz de mamá, intentamos negociar. Se la daría, pero solo a cambio de que no volviese jamás a buscar a mi hermana. Dudó un momento para luego aceptar el trato con una sonrisa. Acto seguido, cogió la voz, se la puso y se fue cantando de nuestras vidas.

Mi casa se tornó silencio. Por fin podíamos vivir tranquilas, pero mamá —quizás por miedo, costumbre o desconfianza— siguió sin despegarse un segundo de mi hermana.

Por mi parte, jugué a ser feliz durante años hasta que una noche —mientras las dos dormían juntas como siempre— alguien con la misma voz que mi madre me requirió.

Y al volver la vista atrás

A Galicia

Mi madre se quedó embarazada de mí en el Camino de Santiago, en el inglés más concretamente, para que yo aprendiese idiomas. De Ferrol a Neda rompió aguas y unos peregrinos la ayudaron a traerme al mundo. Nada más avanzar unos kilómetros conmigo a cuestas, empecé a ir por mi propio pie. En Neda aprendí a leer y escribir. En la siguiente etapa terminé los estudios, solté la mano de mi madre y en Pontedeume me enamoré. Mi novia y yo anduvimos solos 21 km y, al llegar a Betanzos, nos casamos.

Celebramos la boda con la mejor tortilla del mundo y seguimos con la mochila al hombro hasta el Hospital de Bruma donde nacieron nuestros hijos: Santiago y Camino. Vivimos en el albergue un tiempo y luego hicimos un tramo con los niños que fue como recrear con ellos lo andado por nosotros otra vez, pero al alcanzar Sigüeiro querían ir por libre y nos dijeron adiós.

Ahora estamos a punto de llegar a Santiago con los pies llenos de ampollas y un saco colmado de anécdotas.

Ya nuestros hijos y nietos nos aguardan en la Plaza del Obradoiro, al tiempo que suenan campanas en la catedral.

Nos apresuraremos a hablarles del trayecto recorrido y les daremos el relevo, seguros de que cuando un camino termina, otro tiene que empezar

Y el resto es historia

A Canarias

Nació en tierras castellanas y la llamaron Pilar, no Gara como hubiese querido su madre. El día en que fue concebida, las abejas libaban las flores de los cactus, las pardelas sobrevolaban la costa silenciosa y, encima de la loma, la brisa refrescaba el rostro de un pastor.

Airam trepó a una palmera y bajó unos dátiles para Idaira, labró la punta de una lanza y cazó un cerdo salvaje. Juntos, vertieron manteca derretida en los surcos de la roca como ofrenda a Magec, dios del sol, y le rogaron que viniera a ayudarlos.

Luego bajaron a la playa. Se quitaron la piel de cabra que cubría sus cuerpos y entraron en esa masa azul de agua y sal que los separaba del resto del mundo. Al salir, se amaron en la orilla mientras la montaña sagrada los oía suspirar.

Cuando se percataron de los barcos que flotaban sobre la mar en calma, ya había llegado a la orilla un ser tan brillante que incluso podían ver sus caras reflejadas en la desconocida indumentaria de metal.

Deslumbrados por su luz, se arrodillaron en la arena y, con los brazos bien abiertos, recibieron al dios anhelado que acababa de llegar.

ÍNDICE:

7. Presentación

9. Adolescencia

10. Adrenalina

11. Amor al arte

13. Bajo la lluvia fina que no empapa

14. Carretas

15. Carretera de la costa

16. Castillo de naipes

17. Cena para dos

18. Cita en el muelle

19. Colada estelar

20. Corazoncito

21. Crisis climática

22. Cuando se derrama el mar

23. Cumbre vieja

24. Cruzar la raya

25. Dama, dama

26. Debilidades

27. Decisiones

28. De quereres y poderes

29. De raíz

30. Desaparecida

31. Destinos

32. Déjate llevar

33. Desayuno con amantes

34. Dulce compañía

35. El archipiélago de tu espalda

36. El bosque inanimado

37. El cambio

38. El hombre invisible

39. El mundo es un pañuelo

40. El pozo

41. El quitapenas

42. El trato

43. En el museo de Historia

44. El éxodo de las sirenas

45. El éxtasis de sor Natalia

46. En las nubes

47. Ensayo y error

48. Estrellas fugaces

49. Fucsia sobre gris

50. Geografía accidentada de la adolescencia

51. Guardiana de los sueños

52. H2O

53. Ineludible

54. Inocencia

56. Juego de niños

57. La cita

58. La Ciudad de la Alegría

59. La impura verdad

60. La isla

61. La Isla del Viento

62. La jaula

63. La letra con amor

64. La mujer del pescador

65. La mujer de piedra

66. La mujer invisible

67. La pescadora de bronce

68. La propiedad conmutativa

69. La santera

70. La sed de la tierra

72. Las dos mujeres

73. La tragafuegos

74. Lenguas vivas

75. Lentejas

76. Líneas coincidentes

77. Líneas divergentes

78. Luz de mi vida

79. ¡Madre de Dios!

 80. Maguas del paraíso canario

81. Malas elecciones

82. Mari Fe

84. Mojo picón

85. Mortis films

86. Norte y Sur

87. *Nunc Aut Nunquam*

88. Orígenes

89. Oro

90. Oro amarillo

92. Otras guerras

93. Papel mojado

94. Papiroflexia

94. Paraguas perdido

95. Pastillas azules

96. Pequeño capitán

98. Pérdidas

99. Pesos y vacíos

100. Postre «Bienmesabe»

101. Posverdad

102. *Praeteritus Tempus*

103. Prioridades

104. Protagonista accidental

105. Proyección de futuro

106. ¿Qué hora es?

107. ¿Qué voy a hacer?

108. Ramón y yo y viceversa

109. Receta del frangollo

111. Reencuentros

113. Rutinas

114. Saneamiento

115. Segunda mano

116. Simbiosis

117. Solamente una vez

118. Soltando lastre

119. Súbita mejoría

120. Tatatachán

121. Tejido familiar

123. Temores

124. *Tempus fugit*

125. Te quiero

126. Torres más altas

127. Tránsito

128. Tres cosas en la vida

129. Umbrales

130. Una historia de miedo

131. Una lluvia con buqué

133. Un rubí sobre el puente

134. Un viaje sin retorno I y II

135. Vacío

136. Viña marina

137. *Vita via est*

138. Voces en la soledad

139. Y al volver la vista atrás…

141. Y el resto es historia

CUANDO SE DERRAMA EL MAR

Elena Bethencourt

Ger's Books

Printed in Great Britain
by Amazon